ルイ・ブライユ

暗闇《くらやみ》に光《ひかり》を灯《とも》した

十五《じゅうご》歳《さい》の点字《てんじ》発明者《はつめいしゃ》

下

山本徳造《やまもととくぞう》／著《ちょ》

松浦麻衣《まつうらまい》／イラスト

広瀬浩二郎《ひろせこうじろう》／監修《かんしゅう》

★小学館ジュニア文庫★

読書工房めじろーブックス

Contents　もくじ　下

Contents もくじ 上

初《はじ》めての孤独《こどく》、初《はじ》めての友《とも》だち
盲学校《もうがっこう》での教育《きょういく》
不自由《ふじゆう》すぎる生活《せいかつ》
文字《もじ》の壁《かべ》
突然《とつぜん》の別《わか》れ
新《あたら》しい光《ひかり》
ピニエ校長《こうちょう》の改革《かいかく》
ヴァランタン・アユイ
画期的《かっきてき》な文字《もじ》

Characters　登場人物紹介《とうじょうじんぶつしょうかい》

ルイ・ブライユ

Louis Braille

1809年《ねん》、フランス・パリの東方《とうほう》にあるクーヴレ村《むら》に生《う》まれる。3歳《さい》のときに負《お》ったケガにより、5歳《さい》で全盲《ぜんもう》となる。パリの盲学校《もうがっこう》で目《め》の見《み》えない人《ひと》のための文字《もじ》・点字《てんじ》を発明《はつめい》する。

シモン＝ルネ・ブライユ

Simon-René Braille

ルイの父親《ちちおや》。
馬《うま》の鞍《くら》などを作《つく》る馬具《ばぐ》職人《しょくにん》を営《いとな》んでいる。ルイのことをいつも気《き》にかけている。

モニク・ブライユ

Monique Braille

ルイの母親《ははおや》。末《すえ》っ子《こ》ルイの将来《しょうらい》を案《あん》じ、パリの盲学校《もうがっこう》へ行《い》かせることに。

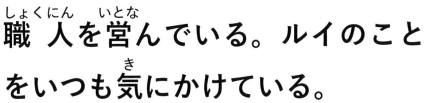

ジャック・パリュイ神父《しんぷ》

Jacques Palluy

クーヴレ村《むら》の神父《しんぷ》。
ルイの聡明《そうめい》さに
気付《きづ》き、パリ盲学校《もうがっこう》へ
通《かよ》うように進言《しんげん》する。

ギリエ校長《こうちょう》

Sébastien Guillié

パリ盲学校《もうがっこう》の校長《こうちょう》。
礼儀《れいぎ》を重視《じゅうし》した。
音楽《おんがく》への理解《りかい》が深《ふか》い。

イポリット

Hippolyte Coltat

ルイの親友《しんゆう》。

ルイ、ガブリエルとともに盲学校《もうがっこう》の正《せい》教《きょう》師《し》になる。

ガブリエル

Gabriel Gauthier

ルイの親友《しんゆう》。

優《すぐ》れた演奏家《えんそうか》で作曲《さっきょく》家《か》。盲学校《もうがっこう》のオーケストラの指揮者《しきしゃ》になった。

シャルル・バルビエ

Charles Barbier

元砲兵隊長《もとほうへいたいちょう》。

夜《よる》の戦闘用《せんとうよう》に開発《かいはつ》した「夜間文字《やかんもじ》」を改良《かいりょう》した「ソノグラフィー」を盲学校《もうがっこう》に持《も》ち込《こ》んだ。

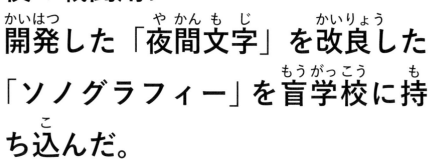

ピニエ校長《こうちょう》

Alexandre François-René Pignier

パリ盲学校《もうがっこう》の校長《こうちょう》。
穏《おだ》やかな性格《せいかく》で、ルイの点字《てんじ》のよき理解者《りかいしゃ》でもあった。

ピニエ校長《こうちょう》の実験《じっけん》

それから数日後《すうじつご》、ピニエ校長《こうちょう》は講堂《こうどう》に生徒全《せいとぜん》員《いん》を集《あつ》めました。

「みなさん、よく聞《き》いてください。これからある実験《じっけん》をします。キミたちも協力《きょうりょく》してください」

そう言《い》ってピニエ校長《こうちょう》は生徒《せいと》の机《つくえ》の上《うえ》に紙《かみ》を置《お》きました。バルビエ大尉《たいい》が残《のこ》していったソノグラフィーの見本《みほん》です。

「今《いま》、キミたちの机《つくえ》の上《うえ》に紙《かみ》を置《お》きました。さあ、さわってごらん」

「ピニエ先生《せんせい》、丸《まる》い点《てん》のようなものがいくつか並《なら》んでいます」

一人《ひとり》の生徒《せいと》が言《い》います。

「その通《とお》り。この点《てん》はあるルールに沿《そ》って並《なら》んでいるもので、それぞれの組《く》み合《あ》わせでフランス語《ご》の音《おん》をあらわしているんだよ」

「へえー、面白《おもしろ》い」

別《べつ》の生徒《せいと》が興味深《きょうみぶか》そうに紙《かみ》に浮《う》き出《で》た点《てん》をさわりつづけました。

バルビエ大尉《たいい》の考《かんが》え出《だ》したソノグラフィーは、アルファベットではなく、フランス語《ご》の三十六《さんじゅうろく》ある音《おん》を十二個《じゅうにこ》の点《てん》であらわすというものでした。

「いいかい。さわってみるとわかるけど、縦二列《たてにれつ》で左右《さゆう》それぞれに六《むっ》つの点《てん》がある。これを組《く》み合《あ》わせて、音《おん》をあらわしているんだよ。たとえば、右《みぎ》に五《いつ》つ、左《ひだり》に六《むっ》つの点《てん》だとion《イオン》、左右《さゆう》とも五《いつ》つずつだとgn《ニュ》、それに……」

ピニエ校長《こうちょう》はいくつかの音《おん》を生徒《せいと》たちに教《おし》えました。生徒《せいと》たちはソノグラフィーにすっかり夢《む》中《ちゅう》になったようです。

「これがj《ジ》?」

「ちがうよ。それはion《イオン》」

点《てん》をさわるたびに、生徒《せいと》たちはその音《おん》を口《くち》にしました。

「実際《じっさい》にさわってみて、今《いま》までの浮《う》き出《だ》し文字《もじ》と比《くら》べて、どちらがわかりやすいかな？」

ピニエ校長《こうちょう》の質問《しつもん》に、

「指《ゆび》でさわると、この文字《もじ》のほうがわかりやすいです」

と、生徒全員《せいとぜんいん》が同《おな》じ答《こた》えを返《かえ》しました。

「ルイ、このソノグラフィーをどう思《おも》う？」

しばらくして、ピニエ校長《こうちょう》がルイに感想《かんそう》を聞《き》きました。

「確《たし》かに面白《おもしろ》い方法《ほうほう》ですね。僕《ぼく》は、だいたいわかりました」

「さすが、ルイだ」

「でも、この文字《もじ》を書《か》くにはどうすればいいのですか？」

「いい質問《しつもん》だ。バルビエ大尉《たいい》が考《かんが》えたソノグラフィーで文字《もじ》をつくるには、いくつかの道具《どうぐ》を用意《ようい》しなければならない」

ピニエ校長《こうちょう》は持《も》っていたじょうぎをルイに手《て》

わたしました。

「これはなんですか？　じょうぎみたい」

「そう、じょうぎだよ。文字《もじ》を書《か》くときは、必《かなら》ずこのじょうぎを紙《かみ》にあてる。ルイ、さわってごらん」

ピニエ校長《こうちょう》に言《い》われて、ルイはじょうぎを指《ゆび》でなぞりはじめました。

「何《なに》か溝《みぞ》のようなものが刻《きざ》まれています」

「よくわかったね、ルイ。このじょうぎには六本《ろっぽん》の溝《みぞ》が刻《きざ》まれている。溝《みぞ》と溝《みぞ》の間《あいだ》は同《おな》じ幅《はば》だということがわかるね」

「はい」

「ではルイ、次《つぎ》はこれだ」

ピニエ校長《こうちょう》は「点筆《てんぴつ》」と呼《よ》ばれる細《ほそ》い鉄製《てっせい》の棒《ぼう》をルイに持《も》たせました。

「柄《え》の先《さき》に棒《ぼう》があって、先端《せんたん》がとがっているだろ。これで厚紙《あつがみ》をつくと、紙《かみ》の裏側《うらがわ》に点《てん》が浮《う》き上《あ》がる。

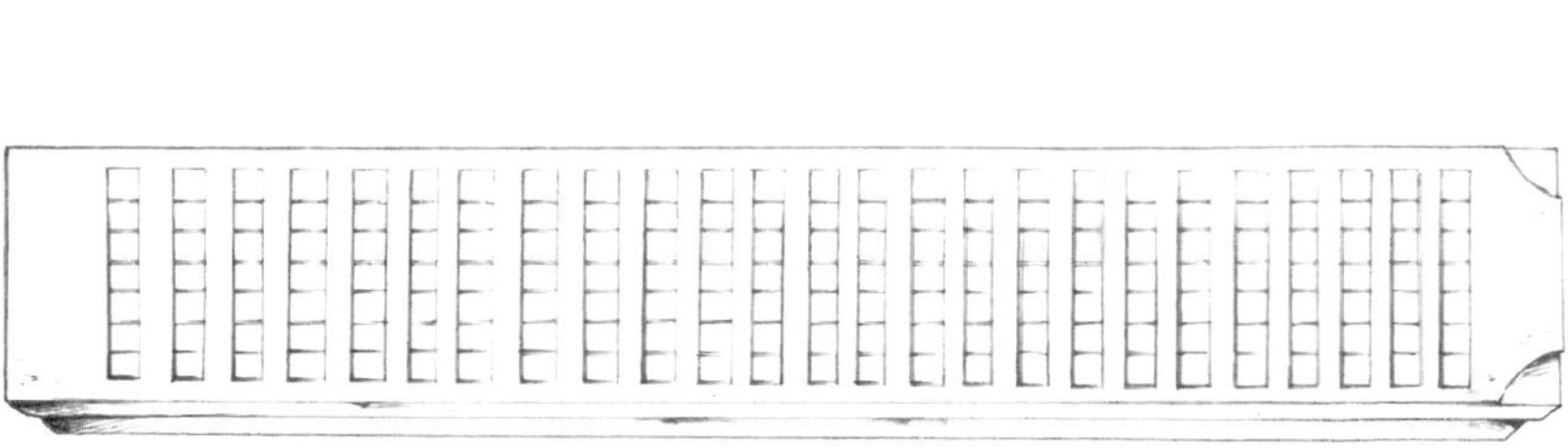

〈バルビエの点字盤《てんじばん》（改良《かいりょう》したもの）〉

普通文字《ふつうもじ》を書《か》くのは左《ひだり》から右《みぎ》だね。しかし、これは裏返《うらがえ》して読《よ》むから、右《みぎ》から左《ひだり》に打《う》っていくんだ」

ピニエ校長《こうちょう》に教《おし》えられたとおり、ルイはじょうぎを使《つか》って簡単《かんたん》な文章《ぶんしょう》を打《う》ちはじめました。

初《はじ》めて打《う》つとは思《おも》えない速《はや》さにピニエ校長《こうちょう》は驚《おどろ》きます。

「すごいぞ、ルイ。では、その紙《かみ》に何《なに》が書《か》いてあるのか、誰《だれ》かに読《よ》んでもらおう。そうだ、ガブリエル、キミが読《よ》みたまえ」

「えっ、オレが読《よ》むんですか？　そんなの無理《むり》ですよ」

「いいから」

ピニエ校長《こうちょう》にせかされ、ガブリエルはしぶしぶ紙《かみ》に指《ゆび》をあて、読《よ》もうとしました。

「ん？　これは何《なん》だっけな？　えーと、うー……」

「もう、いい」

ピニエ校長《こうちょう》はいらだちを隠《かく》さずに、ガブリエルから紙《かみ》を取《と》り上《あ》げました。教《おそ》わったばかりでソノグラフィーをすらすら読《よ》むことのできる生徒《せいと》は、ルイだけだったのです。

いくらソノグラフィーが他《ほか》の方法《ほうほう》よりも画期的《かっきてき》で、すぐれていても、生徒《せいと》たちが自分《じぶん》のものにするには時間《じかん》がかかるというのがわかりました。

（ルイは特別《とくべつ》なんだ。まあ、練習《れんしゅう》をすればそのうちみんなもすらすらと読《よ》めるようになるだろう）

ピニエ校長《こうちょう》はソノグラフィーを盲学校《もうがっこう》の教育《きょういく》に取《と》り入《い》れることを決《き》め、デュフォー副校長《ふくこうちょう》にも伝《つた》えました。

「とりあえず、これまでの浮《う》き出《だ》し文字《もじ》をおぎなう教材《きょうざい》として、このソノグラフィーを使《つか》いたいと思《おも》います。デュフォー先生《せんせい》も賛同《さんどう》していただけますか？」

「もちろんですとも」

デュフォー副校長《ふくこうちょう》がうなずきました。そしてピニエ校長《こうちょう》はバルビエ大尉《たいい》にもソノグラフィーをとりあえず補助教材《ほじょきょうざい》として使《つか》うことを手紙《てがみ》で知《し》らせました。

このように生徒《せいと》のほとんどが興味《きょうみ》を示《しめ》したバルビエ大尉《たいい》のソノグラフィーですが、簡単《かんたん》に文章《ぶんしょう》が読《よ》み書《か》きできるというものではありませんでした。寄宿舎《きしゅくしゃ》のベッドに入《はい》ってからも、ルイはそのことばかり考《かんが》えていました。

「ルイ、まだ起《お》きているの?」

隣《となり》のベッドからガブリエルがささやきました。

「うん、ソノグラフィーは面白《おもしろ》いけど、もっと使《つか》いやすくできると思《おも》うんだ」

「そんなことはピニエ校長《こうちょう》にまかせておけばいいよ。さあ、いいかげんに寝《ね》ろよ」

「ああ」

ルイは次《つぎ》の日《ひ》も、また次《つぎ》の日《ひ》もソノグラフィーをどう使《つか》いやすくするかを考《かんが》えました。

そして、ついにルイはピニエ校長《こうちょう》に提案《ていあん》にいきます。

「ピニエ先生《せんせい》、僕《ぼく》、ソノグラフィーのことで、どうしてもバルビエ大尉《たいい》に会《あ》いたいのです。大尉《たいい》は今度《こんど》いついらっしゃいますか？」

「バルビエ大尉《たいい》が来《こ》られるのは三日後《みっかご》だ。いいだろう、キミにも同席《どうせき》してもらおうじゃないか。なにしろキミはこの学校《がっこう》で一番優秀《いちばんゆうしゅう》な生徒《せいと》だからね」

ソノグラフィーの弱点《じゃくてん》

それから三日後《みっかご》。

ピニエ校長《こうちょう》はちょっとばかり遠慮《えんりょ》したような笑顔《えがお》でバルビエ大尉《たいい》を出迎《でむか》えました。

「あの後《あと》、生徒《せいと》たちに大尉《たいい》のソノグラフィーを試《ため》させました。わかりやすいと大変評判《たいへんひょうばん》が良《よ》かったですよ」

「そうでしょうとも」

バルビエ大尉《たいい》はブスッとして答《こた》えました。ソノグラフィーが〝補助《ほじょ》〟教材《きょうざい》として使《つか》われることが面白《おもしろ》くなかったのでしょう。

「そうそう、大尉《たいい》。じつは、生徒《せいと》を一人《ひとり》紹介《しょうかい》したいのですが、よろしいでしょうか？」

「ああ」

まるで気《き》のない返事《へんじ》です。

「ルイ、入《はい》りなさい」

ピニエ校長《こうちょう》の合図《あいず》でルイが校長室《こうちょうしつ》に入《はい》ってきました。

「大尉《たいい》、わが盲学校《もうがっこう》で一番優秀《いちばんゆうしゅう》な生徒《せいと》です」

「はじめまして、バルビエ大尉《たいい》。僕《ぼく》はルイ・ブライユと申《もう》します」

ルイは深々《ふかぶか》と頭《あたま》を下《さ》げました。

礼儀正《れいぎただ》しいルイとは対照的《たいしょうてき》にバルビエ大尉《たいい》は
無言《むごん》です。まるでルイを無視《むし》するかのようでした。

「ルイ、バルビエ大尉《たいい》にどうしても聞《き》きたいこと
があるのだね」

「はい、校長先生《こうちょうせんせい》」

「大尉《たいい》はお忙《いそが》しい方《かた》だ。早《はや》く質問《しつもん》しなさい」

ピニエ校長《こうちょう》にせかされて、ルイは単刀直入《たんとうちょくにゅう》

に尋《たず》ねることにしました。

「バルビエ大尉《たいい》のソノグラフィーですが、僕《ぼく》も試《ため》してみました。点《てん》のほうが浮《う》き出《だ》し文字《もじ》よりも指《ゆび》に伝《つた》わりやすいですね。僕《ぼく》たちが本当《ほんとう》に必要《ひつよう》としているのは、大尉《たいい》がつくったソノグラフィーだと思《おも》いました」

「ああ」

バルビエ大尉《たいい》は上《うわ》の空《そら》で聞《き》いていました。

(十歳《じっさい》そこそこの子《こ》どもの話《はなし》に、どうして私《わたし》が

真剣《しんけん》に耳《みみ》を傾《かたむ》けなければならないのだ）

そんな態度《たいど》でした。しかし、傲慢《ごうまん》な人間《にんげん》ほど悪《わる》口《くち》には敏感《びんかん》なようです。

「でもバルビエ大尉《たいい》、ソノグラフィーには問題《もんだい》がありますす」

このルイの一言《ひとこと》に、バルビエ大尉《たいい》は自分《じぶん》の耳《みみ》を疑《うたが》い、思《おも》わず聞《き》き返《かえ》しました。

「ん、今《いま》、なんて言《い》った？」

「あのー、いくつか問題《もんだい》があると……」

「な、何《なに》が問題《もんだい》なのだ！」

十三歳《じゅうさんさい》の少年《しょうねん》、しかも目《め》の見《み》えない生徒《せいと》にそう指摘《してき》されたのです。バルビエ大尉《たいい》が不愉快《ふゆかい》になったのも当然《とうぜん》かもしれません。

「まず、点《てん》の数《かず》が多《おお》すぎます」

ルイが答《こた》えました。

「点《てん》が多《おお》すぎるだと？」

「ええ、点《てん》が左右《さゆう》に六個《ろっこ》ずつだと、合《あ》わせて十二《じゅうに》個《こ》です。一本《いっぽん》の指《ゆび》で多《おお》くの点《てん》にさわらなければならないので、覚《おぼ》えるのが大変《たいへん》なんです。書《か》くのにもすごく時間《じかん》がかかります。ですから、大尉《たいい》、もっと点《てん》の数《かず》を減《へ》らすことはできないでしょうか」

「それだけか?」

「いいえ、まだあります」

「なんだね?」

「ソノグラフィーには、フランス語《ご》に欠《か》かせないアクセント記号《きごう》や数字《すうじ》もありません」

「キ、キミは私《わたし》のソノグラフィーにケチをつけ

るのか！」

バルビエ大尉《たいい》の顔《かお》は怒《いか》りで真《ま》っ赤《か》になりました。

「ケチをつけるなんて、そんな……僕《ぼく》はただ……」

ルイは相手《あいて》の剣幕《けんまく》に驚《おどろ》き、しどろもどろになりました。

「ただ、なんだ！」

「ちょっとだけ変《か》えてみてはどうでしょうか、と……」

「どこを、どう変《か》えろというのだ！」

バルビエ大尉《たいい》は興奮状態《こうふんじょうたい》です。こうなったら、もう開《ひら》き直《なお》るしかありません。

（もうバルビエ大尉《たいい》に叱《しか》られてもいいや。ソノグラフィーを改良《かいりょう》すれば、僕《ぼく》たちみんなが前《まえ》よりもずっと簡単《かんたん》に字《じ》が読《よ》めるようになるんだから）

ルイは気《き》を落《お》ち着《つ》かせようと深呼吸《しんこきゅう》してから、言《い》いました。

「たとえば、ソノグラフィーには音《おん》はありますが、句読点《くとうてん》と数字《すうじ》はないですよね」

「だから、なんだね？」

「句読点《くとうてん》と数字《すうじ》があらわせなかったら、ちゃんとした文章《ぶんしょう》になりません」

「なに、目《め》の見《み》えない者《もの》にちゃんとした文章《ぶんしょう》が必要《ひつよう》だと⁉」

バルビエ大尉《たいい》が声《こえ》を荒《あら》らげました。

「それにソノグラフィーには※つづりもありません。つづりが完璧《かんぺき》でないと、正確《せいかく》に文章《ぶんしょう》を書《か》くこともできないじゃないですか。それは目《め》の見《み》える人《ひと》にも言《い》えることです」
※ソノグラフィーは文字《もじ》そのものではなく、フランス語《ご》の音《おん》を12の点《てん》と線《せん》の組《く》み合《あ》わせで表《あらわ》す発音記号《はつおんきごう》のようなものであった。

「だが、キミ、目《め》の見《み》えない者《もの》につづりなんて教《おし》えてどうする？　簡単《かんたん》な読《よ》み書《か》きができれば、それで十分《じゅうぶん》じゃないか。キミたちは目《め》が見《み》えないことを忘《わす》れないでもらいたい。いくら勉強《べんきょう》しても、小説家《しょうせつか》や学者《がくしゃ》になれるわけではないだろう」

このバルビエ大尉《たいい》の発言《はつげん》に、さすがのルイも反《はん》抗《こう》したくなりました。

「わかりました。では、大尉《たいい》のソノグラフィーでは目《め》の見《み》えない人《ひと》にまともな教育《きょういく》はできないということになります」

「なんて失礼《しつれい》な！」

バルビエ大尉《たいい》がピニエ校長《こうちょう》を振《ふ》り返《かえ》りました。

その目《め》は怒《いか》りで充血《じゅうけつ》しています。

「大尉《たいい》、どうかルイの失礼《しつれい》をお許《ゆる》しください」

ピニエ校長《こうちょう》はなだめました。

「不愉快《ふゆかい》だ。ピニエ校長《こうちょう》、私《わたし》は帰《かえ》る!」

バルビエ大尉《たいい》がプリプリと怒《おこ》って校長室《こうちょうしつ》を出《で》ました。ピニエ校長《こうちょう》はバルビエ大尉《たいい》のあとを追《お》うこともしないで、ルイに向《む》きなおりました。

「ルイ、キミはわが盲学校《もうがっこう》の誇《ほこ》りだよ。でも、ちょっとマズいことになったな」

久《ひさ》しぶりのわが家《や》

1821年《ねん》の夏休《なつやす》みがはじまりました。ルイが盲学校《もうがっこう》に入学《にゅうがく》してから初《はじ》めての里帰《さとがえ》りです。

盲学校《もうがっこう》の校則《こうそく》では、8月末《がつまつ》から11月《がつ》のはじめまでが夏休《なつやす》みです。しかし、遠《とお》くから来《き》ている生徒《せいと》が往復《おうふく》すると、多額《たがく》の交通費《こうつうひ》がかかります。そのため、お金持《かねも》ちの家《いえ》の子《こ》どもならともかく、そう簡単《かんたん》に里帰《さとがえ》りはできなかったのです。そんなわけで、せっかくの夏休《なつやす》みでしたが、ほとんどの生徒《せいと》は自宅《じたく》に帰《かえ》らずに蒸《む》し暑《あつ》い寄宿舎《きしゅくしゃ》で過《す》ごしていました。夏休《なつやす》みだけでなく、クリスマスと復活祭《ふっかつさい》の休《やす》みもありましたが、せいぜい一日《いちにち》か二日《ふつか》です。こんなに休《やす》みが短《みじか》くては、自宅《じたく》に帰《かえ》りたくても帰《かえ》れません。つまり、大多数《だいたすう》の生徒《せいと》にとっては、家族《かぞく》と過《す》ごせる休《やす》みはほとんどなかったといってもいいでしょう。

その点《てん》、ルイは恵《めぐ》まれていました。クーヴレ村《むら》はパリからも比較的近《ひかくてきちか》かったので、ルイは夏休《なつやす》みをゆっくりふるさとで過《す》ごすことができたのです。

「ルイ一人《ひとり》では心配《しんぱい》だ。おまえがパリまで迎《むか》えにいきなさい」

父親《ちちおや》に言《い》われた兄《あに》のルイ＝シモンが、盲学校《もうがっこう》までルイを迎《むか》えにきてくれました。ルイは兄《あに》と一緒《いっしょ》に馬車《ばしゃ》で帰《かえ》ることになったのです。

「兄《にい》さん、みんな元気《げんき》？」

「ああ、元気《げんき》さ」

「よかった」

「おまえ、少《すこ》しやせたんじゃないのか？」

兄《あに》とは年《とし》が離《はな》れていたので、馬車《ばしゃ》の中《なか》での会話《かいわ》もぎこちなく、とぎれとぎれになります。それでもルイは久《ひさ》しぶりに話《はな》すことができて満足《まんぞく》でした。手紙《てがみ》ではやりとりをしていましたが、実際《じっさい》に言葉《ことば》を交《か》わすと嬉《うれ》しくて涙《なみだ》が出《で》そうになりました。

クーヴレ村《むら》に戻《もど》ってきたルイを家族全員《かぞくぜんいん》が笑顔《えがお》で出迎《でむか》えました。みんな久《ひさ》しぶりに見《み》る末《すえ》っ子《こ》の姿《すがた》に大喜《おおよろこ》びです。

「ルイ、心配《しんぱい》していたぞ」

父親《ちちおや》のシモン＝ルネがルイをギュッと抱《だ》きしめました。

「まあ、ルイ、待《ま》っていたわよ。さ、お母《かあ》さんに顔《かお》を見《み》せておくれ」

母親《ははおや》のモニクもルイを抱《だ》き寄《よ》せ、いとおしそうにほおずりします。兄弟姉妹《きょうだいしまい》の中《なか》で一番仲《いちばんなか》のいい姉《あね》のカトリーヌも目《め》を細《ほそ》めます。

「ルイ、しばらく会《あ》わないうちにずいぶん大《おお》きくなったわ」

「ああ、姉《ねえ》さんも前《まえ》よりもずっときれいだよ」

「まあ、この子《こ》ったら」

弟《おとうと》の冗談《じょうだん》にカトリーヌはほおを赤《あか》らめました。

「姉《ねえ》さん、ルイは都会《とかい》の人間《にんげん》になったのよ。すっかりお世辞《せじ》がうまくなって」

次女《じじょ》のセリーヌは、弟《おとうと》の成長《せいちょう》ぶりが面白《おもしろ》くなかったのでしょうか、不満《ふまん》そうな顔《かお》をしています。約二年《やくにねん》ぶりのふるさとは、ルイを失明《しつめい》する前《まえ》の幼《おさな》いころに戻《もど》してくれました。なにしろ生《う》まれ育《そだ》った環境《かんきょう》です。焼《や》いた木《き》や馬《うま》のニオイがルイの記憶《きおく》を呼《よ》びさましました。

（うわー、懐《なつ》かしいニオイだ）

懐《なつ》かしいニオイとは父親《ちちおや》の仕事場《しごとば》から漏《も》れてくる革《かわ》のニオイです。ルイにとって、このニオイこその自宅《じたく》のニオイでした。仕事場《しごとば》での事故《じこ》で失明《しつめい》したという苦《にが》い記憶《きおく》があったとしても、懐《なつ》かしさのほうが勝《まさ》っていたのです。

帰《かえ》ってきて数日《すうじつ》は、近《ちか》くの野山《のやま》を散歩《さんぽ》したり、幼馴染《おさななじ》みやパリュイ神父《しんぷ》と再会《さいかい》したり、盲学校《もうがっこう》でのことは忘《わす》れようとつとめました。しかし、一週間《いっしゅうかん》もすると、ルイの頭《あたま》にバルビエ大尉《たいい》のソノグラフィーのことが浮《う》かび、そればかり考《かんが》えるようになりました。

カトリーヌと散歩《さんぽ》していても、家族《かぞく》と食卓《しょくたく》を囲《かこ》んでいても、上《うわ》の空《そら》でした。そしてベッドに入《はい》っても、なかなか眠《ねむ》ることはできません。そして夢《ゆめ》の中《なか》でも、ソノグラフィーを改良《かいりょう》するために孤《こ》軍奮闘《ぐんふんとう》する自分《じぶん》がいました。

「ルイ、今日《きょう》はどこに行《い》く？」

いつものようにカトリーヌがルイを散歩《さんぽ》に誘《さそ》いました。

「悪《わる》いけど、今日《きょう》はやめておくよ、姉《ねえ》さん」

「いったいどうしたのよ？」

「どうしても調《しら》べたいことがあるんだ」

「……そう。ならいいわ」

カトリーヌはそれ以上《いじょう》尋《たず》ねませんでした。その「調《しら》べもの」がここ最近《さいきん》のルイの心《こころ》を占《し》めていることに気《き》づいていたからです。

その日《ひ》からルイは食事《しょくじ》以外《いがい》、ほとんど自分《じぶん》の部屋《へや》に閉《と》じこもります。盲学校《もうがっこう》から持《も》ってきた点《てん》筆《ぴっ》（先《さき》がとがっている鉄《てつ》の筆《ふで》）を手《て》にしっかりにぎりしめ、紙《かみ》にポツンポツンと点《てん》を打《う》つルイの姿《すがた》を、家族《かぞく》は見守《みまも》るしかありませんでした。

「うー、これもダメだ。あー、やっぱりちがう」

ルイはため息《いき》をつきながら、こんどは別《べつ》のところに点筆《てんぴつ》を打《う》ち直《なお》しました。額《ひたい》からは大粒《おおつぶ》の汗《あせ》がしたたり落《お》ちています。しかし、

「うーん、これもダメだな」

とルイの口《くち》からはため息《いき》が……。そんなくり返《かえ》しが、もう何日《なんにち》もつづいていました。

「ルイ、母《かあ》さんが心配《しんぱい》しているぞ。少《すこ》しは手《て》を休《やす》めないか」

そう忠告《ちゅうこく》するシモン＝ルネに、ルイはいつも決《き》まって言《い》いました。

「父《とう》さん、あともう少《すこ》しなんだ」

「そうか、無理《むり》するんじゃないぞ」

「わかったよ、父《とう》さん」

その後《ご》も家《いえ》の近《ちか》くの丘《おか》に座《すわ》って紙《かみ》にポツポツと点《てん》をつけているルイの姿《すがた》を、近所《きんじょ》の人《ひと》たちが目《もく》撃《げき》しています。

盲学校《もうがっこう》に戻《もど》っても、食事《しょくじ》も寝《ね》る時間《じかん》も惜《お》しんで、ルイはソノグラフィーの改良《かいりょう》に全力《ぜんりょく》をそそぎました。その努力《どりょく》が形《かたち》となってあらわれるまで、さらに月日《つきひ》がかかることになります。

十五歳《じゅうごさい》の発明《はつめい》

「わーい、やったぞ！」

ルイが盲学校《もうがっこう》に来《き》てから五年《ごねん》が経《た》ったときのことです。ルイが、突然《とつぜん》、叫《さけ》び声《ごえ》をあげ、両手《りょうて》を天井《てんじょう》に突《つ》き出《だ》しました。

「ルイ、どうしたんだ」

隣《となり》のベッドに横《よこ》たわっていたガブリエルが驚《おどろ》いて身《み》を起《お》こします。

夕食《ゆうしょく》の後《あと》、ルイはいつものように寄宿舎《きしゅくしゃ》のベッドに腰《こし》かけ、「ソノグラフィーの改良《かいりょう》」に集中《しゅうちゅう》していました。ベッドのそばには、紙《かみ》はもちろん、点筆《てんぴつ》やじょうぎといった作業道具《さぎょうどうぐ》が全部《ぜんぶ》そろえてあります。

「ガブリエル、僕《ぼく》、やったよ」

「完成《かんせい》したんだな」

「うん、まだ完全《かんぜん》じゃないけど、だいたい」

もうルイは落《お》ち着《つ》きを取《と》り戻《もど》していました。

「オレにも教《おし》えてよ」

ルイはガブリエルに説明《せつめい》しはじめました。

「バルビエ大尉《たいい》は音《おん》を点《てん》と線《せん》であらわしたよね。

でも、アルファベットを一《ひと》つひとつあらわすことができなかった。それに句読点《くとうてん》もなかった。そこがソノグラフィーの欠点《けってん》だったよね」

「で、キミがそれを直《なお》したのか？」

「ああ、少《すこ》しばかりね」

「ルイ、そんなに謙遜《けんそん》しなくていいよ」

「だったら正直《しょうじき》に言《い》わせてもらう。全面的《ぜんめんてき》に直《なお》した。いや、そうじゃない。バルビエ大尉《たいい》のソノグラフィーとはまったく別《べつ》の文字《もじ》をつくったと言《い》ったほうがいいかな」

「さすが、ルイだ。で、どんな文字《もじ》なんだい」

「ちょっとこっちに来《き》てよ」

「わかった」

ガブリエルがベッドから離《はな》れ、ルイの隣《となり》に座《すわ》りました。

「手《て》はどこだい？　あっ、これだ」

ルイはガブリエルの右手《みぎて》をとり、その指《ゆび》をゆっくりと点《てん》が打《う》たれた紙《かみ》にあてました。

「何《なに》か感《かん》じるかい？」

「うーん、上《うえ》の角《かど》に点《てん》がある」

「そうだよ、ガブリエル。それがA《ア》をあらわしているんだ」

「点《てん》が一《ひと》つでA《ア》なのか」

「さ、次《つぎ》にいくよ」

ルイはガブリエルの指《ゆび》を少《すこ》し右《みぎ》にずらしました。

「今度《こんど》はどうだい？」

「うーん、点《てん》が縦《たて》に二《ふた》つだけある」

「それがB《べ》だ」

「へえー」

「で、次《つぎ》は…と」

「C《セ》だろ」

「正解《せいかい》。点《てん》が横《よこ》に二《ふた》つある」

「ルイ、これ簡単《かんたん》でいいよ。覚《おぼ》えやすいじゃないか」

「アルファベットの文字《もじ》は、みんな突起《とっき》した点《てん》の異《こと》なった組《く》み合《あ》わせであらわすことができる。それもたった六《むっ》つの点《てん》で。マスの横《よこ》に二《ふた》つの点《てん》、縦《たて》に三《みっ》つの点《てん》を配置《はいち》する。それを点字記号《てんじきごう》の基本単《きほんたん》位《い》にしたんだ」

「バルビエ大尉《たいい》のソノグラフィーは一《ひと》つのマスに点《てん》が十二個《じゅうにこ》もある。だから、読《よ》むのに苦労《くろう》するんだよな」

「僕《ぼく》のはその半分《はんぶん》だ。点《てん》が少《すく》ないから、たった一《いっ》本《ぽん》の指《ゆび》でどのアルファベットかすぐにわかる。読《よ》むのがずいぶん楽《らく》になったよ」

「数字《すうじ》もわかるの？」

「もちろん。それもたった六《むっ》つの点《てん》であらわすことができる」

「ルイ、すごい発明《はつめい》じゃないか。素晴《すば》らしいよ。キミはオレたちの、、、、アルファベットをついに発明《はつめい》したんだぞ。キミは英雄《えいゆう》だ！」

興奮《こうふん》さめやらぬガブリエルに、ルイは友情《ゆうじょう》をひしひしと感《かん》じました。

六点《ろくてん》の奇跡《きせき》

ガブリエルが言《い》うように、実際《じっさい》、それは「すごい発明《はつめい》」でした。

横二《よこふた》つ、縦三《たてみっ》つ。合《あ》わせて六《むっ》つの点《てん》を一《ひと》つのマスの中《なか》で組《く》み合《あ》わせると、なんと六十三通《ろくじゅうさんとお》りもの配列《はいれつ》ができるのです。つまり、アルファベットはもちろん、フラ

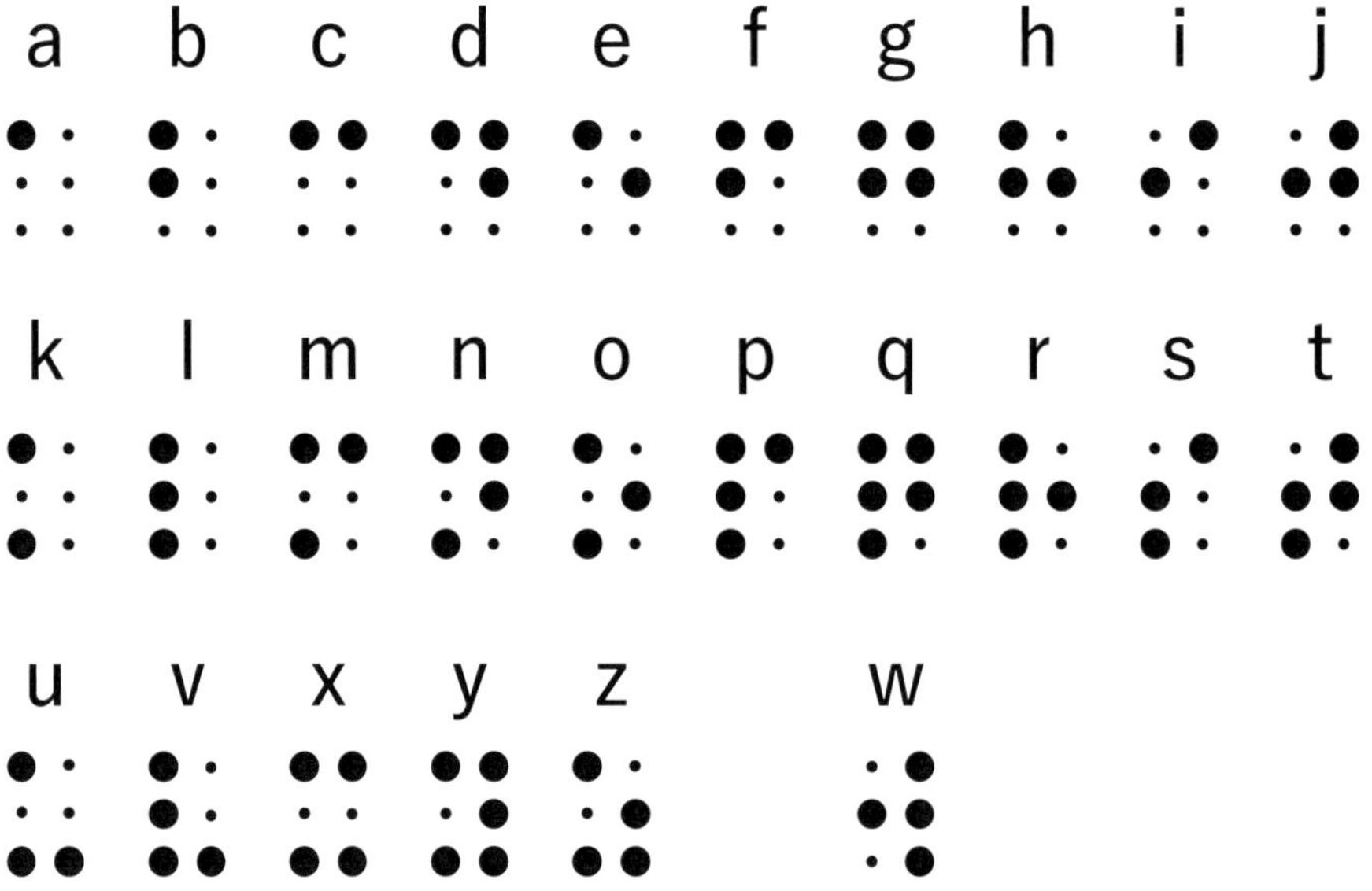

〈ブライユの六《ろく》点《てん》点《てん》字《じ》〉

ンス語《ご》に欠《か》かせないアクセント記号《きごう》、数字《すうじ》、そして句読点《くとうてん》をすべてあらわすことができました（のちにさらなる改良《かいりょう》あり）。

ルイは友人《ゆうじん》たちに試《ため》してから、ピニエ校長《こうちょう》にもその成果《せいか》を見《み》てもらうことにします。ピニエ校長《こうちょう》が教室《きょうしつ》に入《はい》ってくるのを、ルイは紙《かみ》と点筆《てんぴつ》、そしてじょうぎを机《つくえ》の上《うえ》に置《お》いて待《ま》っていました。

「ルイ、今日《きょう》は私《わたし》に素晴《すば》らしいものを見《み》せてくれるんだって？」

ルイの発明《はつめい》を他《ほか》の生徒《せいと》たちから聞《き》いていたのか、すでにピニエ校長《こうちょう》は上機嫌《じょうきげん》です。

「はい、早《はや》く校長《こうちょう》に見《み》せたくて」

ルイは自信《じしん》たっぷりに言《い》いました。

「みんなから話《はなし》は聞《き》いている。私《わたし》も楽《たの》しみにしていたよ」

「ありがとうございます。では、校長《こうちょう》、なんでもいいですから文章《ぶんしょう》を読《よ》み上《あ》げてもらえますか?」

「ああ、いいよ。じゃあ、聖書《せいしょ》にしようか」

ピニエ校長《こうちょう》が聖書《せいしょ》の一節《いっせつ》をゆっくりと読《よ》み上《あ》げはじめました。ルイは紙《かみ》の上《うえ》に点字盤《てんじばん》、つまり点字《てんじ》を打《う》つためのじょうぎを載《の》せ、点筆《てんぴつ》ですぐに点字《てんじ》にしていきます。しばらくすると、ルイが手《て》を止《と》めました。

「校長《こうちょう》、もっと早《はや》く読《よ》み上《あ》げてくださってても大《だい》丈夫《じょうぶ》ですよ」

「えっ、もっと早《はや》くだって？　ルイ、大丈夫《だいじょうぶ》かね？」

ピニエ校長《こうちょう》は心配《しんぱい》そうにルイの顔《かお》を見《み》ました。

しかしルイは、

「ええ、大丈夫《だいじょうぶ》です」

と余裕《よゆう》の表情《ひょうじょう》です。

ピニエ校長《こうちょう》は、今度《こんど》はいつも読《よ》むのと同《おな》じくらいの速《はや》さで聖書《せいしょ》を読《よ》みすすめました。

ルイの手《て》の動《うご》きも、それに合《あ》わせて目《め》にも止《と》まらぬ速《はや》さになります。すぐに一枚目《いちまいめ》の紙《かみ》がいっぱいになりました。

「では、ここまでの分《ぶん》を読《よ》み上《あ》げます。もし間《ま》ちがいがあれば、言《い》ってください」

ルイは自分《じぶん》で打《う》った点字《てんじ》を指《ゆび》でひろいはじめました。それとほぼ同時《どうじ》に、さきほど読《よ》み上《あ》げていた聖書《せいしょ》の一節《いっせつ》が、そっくりそのままルイの口《くち》からすらすらと流《なが》れるように聞《き》こえてきたのです。

（なんと、これはすごいぞ。全部合《ぜんぶあ》っているじゃないか）

ピニエ校長《こうちょう》は驚《おどろ》きのあまり聖書《せいしょ》を落《お》としそうになりました。

「ルイ、やったじゃないか！　いやぁ、ここまでよく頑張《がんば》ったよ」

ピニエ校長《こうちょう》がルイの肩《かた》をたたきました。

「いいえ、けっして僕《ぼく》だけの力《ちから》ではありません。僕《ぼく》はバルビエ大尉《たいい》から大《おお》きなヒントをいただきました。これも、バルビエ大尉《たいい》のおかげです」

「それにしても、よくやった」

ピニエ校長《こうちょう》はルイの肩《かた》を力強《ちからづよ》く抱《だ》きしめました。

（ルイの点字《てんじ》は、これまでのどの視覚障害者用《しかくしょうがいしゃよう》文字《もじ》よりも使《つか》いやすい。バルビエ大尉《たいい》のソノグラフィーからヒントを得《え》たようだが、まったくの別《べつ》物《もの》と言《い》っていいくらいだ）

そう感《かん》じたピニエ校長《こうちょう》は、ルイの点字《てんじ》をもっと使《つか》いやすくするために、さっそく行動《こうどう》に移《うつ》しました。バルビエ大尉《たいい》が置《お》いていった十二点式《じゅうにてんしき》の点字盤《てんじばん》をルイの六点式《ろくてんしき》に合《あ》うように改良《かいりょう》したのです。

盲学校《もうがっこう》の空気《くうき》は一変《いっぺん》しました。ルイの「六点点字《ろくてんてんじ》」のおかげで、生徒《せいと》たちは教師《きょうし》の授業《じゅぎょう》をノートにとったり、生徒同士《せいとどうし》で手紙《てがみ》をやりとりしたりすることもできるようになりました。もちろん、自分《じぶん》の好《す》きな詩《し》を書《か》いたり、物語《ものがたり》をつくったりすることも……。これまで目《め》の見《み》える生徒《せいと》にしかできなかったことが、

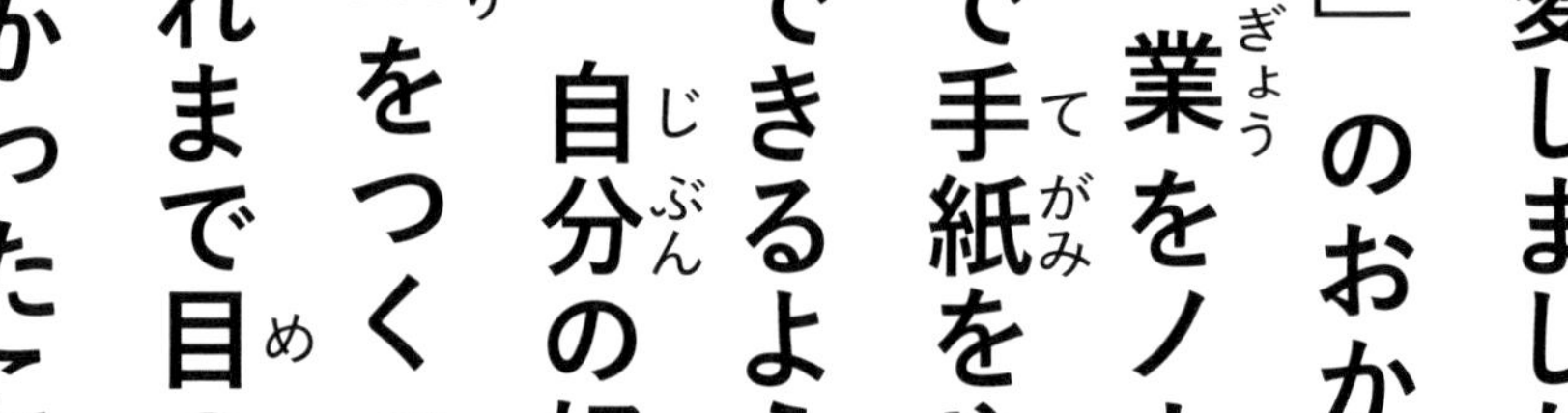

〈六点点字用《ろくてんてんじよう》に改良《かいりょう》された点字盤《てんじばん》〉

盲学校《もうがっこう》の生徒《せいと》たちも可能《かのう》になったのです。

ブライユの伝記作家《でんきさっか》であるピエール・アンリは、こう記《しる》しています。

「バルビエには目《め》があったが、ブライユには指《ゆび》しかなかった」

つまり、見《み》えなかったからこそ指《ゆび》で読《よ》みやすい「六点一《ろくてんいち》マス」の体系《たいけい》をつくり上《あ》げることができたというわけです。アンリはこうも言《い》っています。

「縦《たて》か横《よこ》に一点《いってん》でも多《おお》かったら、点字《てんじ》はきわめて読《よ》みにくいものになっていただろう」

ほんの少《すこ》しのことで、ルイの点字《てんじ》は視覚障害《しかくしょうがい》者《しゃ》たちに希望《きぼう》を与《あた》えたのです。

しかし、そこに到達《とうたつ》するまでのルイの苦労《くろう》は、並大抵《なみたいてい》ではありませんでした。今《いま》でこそ世界中《せかいじゅう》で当《あ》たり前《まえ》のように使《つか》われている点字《てんじ》ですが、こんなに素晴《すば》らしい発明《はつめい》をしたのが十五歳《じゅうごさい》の少年《しょうねん》だと知《し》っている人《ひと》はかなり少《すく》ないでしょう。

しかし、この「六点点字《ろくてんてんじ》」がすぐさま盲学校《もうがっこう》に受《う》け入《い》れられたかというと、けっしてそうではありません。ルイ自身《じしん》も認《みと》めていたように、この点《てん》字《じ》には、まだまだ改良《かいりょう》すべきところがありました。

また、実《じつ》のところピニエ校長《こうちょう》は当時《とうじ》、ルイの点《てん》字《じ》を優先的《ゆうせんてき》に使《つか》うことをためらっていました。その理由《りゆう》は、デュフォー副校長《ふくこうちょう》をはじめ、教師《きょうし》の多《おお》くが点字《てんじ》の採用《さいよう》にはげしく反対《はんたい》していたからです。

「目《め》の見《み》えない教師《きょうし》が生徒《せいと》を教《おし》えるようになったら、目《め》の見《み》える私《わたし》たちは職《しょく》を失《うしな》う」

「浮《う》き出《だ》し文字《もじ》なら私《わたし》たち教師《きょうし》も読《よ》めるが、点《てん》字《じ》は読《よ》めないし、書《か》けない。だから、生徒《せいと》に教《おし》えることもできないではないか」

「目《め》の見《み》えない人《ひと》のための特別《とくべつ》な文字《もじ》を認《みと》めると、目《め》の見《み》えない人《ひと》と見《み》える人《ひと》との間《あいだ》に大《おお》きな壁《かべ》をつくってしまう」

そんな声《こえ》が教師《きょうし》の間《あいだ》から聞《き》こえてきました。

とくにゼリー・カルデヤックら音楽教師《おんがくきょうし》も猛反《もうはん》対《たい》していました。

「ルイの点字《てんじ》では、生徒《せいと》たちが楽譜《がくふ》を読《よ》むことも書《か》くこともできない。だから、音楽教育《おんがくきょういく》にはまったく不向《ふむ》きだ」

波風《なみかぜ》が立《た》つことを何《なに》よりも嫌《きら》うピニエ校長《こうちょう》のことです。残念《ざんねん》ながら反対《はんたい》する教師《きょうし》たちを押《お》し切《き》ってまで、ルイの点字《てんじ》を採用《さいよう》するつもりはありませんでした。

（仕方《しかた》がないさ。みんなに認《みと》められるような点字《てんじ》をつくるしかない）

そう心《こころ》に決《き》めるルイでした。

それから二年後《にねんご》の1826年《ねん》、十七歳《じゅうななさい》になったルイは年少《ねんしょう》の生徒《せいと》たちに「算数《さんすう》」「文法《ぶんぽう》」「地理《ちり》」の三教科《さんきょうか》を教《おし》えることになりました。

教《おし》え方《かた》も上手《じょうず》なことから、生徒《せいと》たちの評判《ひょうばん》も良《よ》かったようです。フランス語文法《ごぶんぽう》の教科書《きょうかしょ》の一部《いちぶ》をルイが六点点字《ろくてんてんじ》に点訳《てんやく》したのは、その翌年《よくとし》のことでした。

さらなる改良《かいりょう》

1828年《ねん》8月《がつ》、ルイは十九歳《じゅうきゅうさい》で盲学校《もうがっこう》の「復習教師《ふくしゅうきょうし》」として採用《さいよう》されました。

復習《ふくしゅう》教師《きょうし》とは、正規《せいき》の教師《きょうし》が生徒《せいと》に教《おし》えたことを、くり返《かえ》して生徒《せいと》に聞《き》かせるのが仕事《しごと》です。助教師《じょきょうし》と思《おも》ってください。

ルイが担当《たんとう》したのは、「文法《ぶんぽう》」「地理《ちり》」「算数《さんすう》」、そして「音楽《おんがく》」でした。このときルイにとって心強《こころづよ》かったことがありました。二人《ふたり》の友人《ゆうじん》、ガブリエル・ゴーティエとイポリット・コルタもそろって復習教師《ふくしゅうきょうし》になったことです。

ただ、復習教師《ふくしゅうきょうし》の待遇《たいぐう》はあまり良《よ》くありませんでした。寮《りょう》で個室《こしつ》が与《あた》えられたものの、食事《しょくじ》は生徒《せいと》と一緒《いっしょ》で、手紙《てがみ》の内容《ないよう》も校長《こうちょう》にきびしくチェックされます。来客《らいきゃく》も許可《きょか》が必要《ひつよう》で、面会《めんかい》は談話室《だんわしつ》にかぎられていました。それも監視《かんし》つきです。規則《きそく》を破《やぶ》ると、生徒《せいと》と同《おな》じ罰則《ばっそく》が待《ま》っていました。

「なんなんだよ。これじゃあ生徒《せいと》とほとんど同《おな》じあつかいじゃないか」

イポリットの不満《ふまん》は爆発寸前《ばくはつすんぜん》です。ガブリエルもイポリット以上《いじょう》に怒《おこ》っていました。

「家族《かぞく》が会《あ》いにきたって、面会《めんかい》するにはいちいち許可《きょか》が必要《ひつよう》なんだってさ。しかも、談話室《だんわしつ》でしか会《あ》えないし、監視《かんし》までついてる。まるで刑務所《けいむしょ》じゃないか。もうオレ、頭《あたま》にきちゃうよ」

そんな二人《ふたり》をルイはなだめるしかありません。

「まあまあ、ガブリエルもイポリットも、そんなに怒《おこ》らないで。もし日曜日《にちようび》のミサに出《で》れば、個人《こじん》的《てき》に外出《がいしゅつ》もできるんだよ。それに僕《ぼく》たち、校長《こうちょう》先生《せんせい》からお小遣《こづか》いがもらえるんだから、ちょっとはありがたく思《おも》わないと」

「けど、そのお小遣《こづか》いって、いくらか決《き》まってないよね」

ガブリエルはほとんど期待《きたい》していません。イポリットも同《おな》じです。

「校長先生《こうちょうせんせい》の気分次第《きぶんしだい》だ。機嫌《きげん》が悪《わる》いと、ゼロってこともある」

「イポリット、それはないと思《おも》うよ」

ルイが言《い》ったように、さすがにゼロという月《つき》はありませんでしたが、実際《じっさい》に彼《かれ》らがピニエ校長《こうちょう》からもらったお小遣《こづか》いは、満足《まんぞく》のいく額《がく》ではありませんでした。

それでもルイは幸《しあわ》せな気分《きぶん》です。生徒《せいと》たちを教《おし》えることに喜《よろこ》びを感《かん》じていたのです。報酬《ほうしゅう》に文句《もんく》を言《い》っていたガブリエルとイポリットも、だんだんと後輩《こうはい》たちを教《おし》えることに生《い》きがいすら感《かん》じはじめていました。

ルイは授業《じゅぎょう》の合間《あいま》をぬって、点字《てんじ》の改良《かいりょう》にはげみます。

その一方《いっぽう》でオルガンの演奏《えんそう》という趣味《しゅみ》もおろそ

かにしませんでした。そして趣味《しゅみ》こそ発明《はつめい》の大《おお》きな原動力《げんどうりょく》になることをルイが証明《しょうめい》しました。ついに楽譜《がくふ》を点字《てんじ》であらわす方法《ほうほう》を考《かんが》え出《だ》したのです。

翌《よく》1829年《ねん》、ルイが二十歳《はたち》になったばかりのとき、ルイの点字《てんじ》がようやく日《ひ》の目《め》を見《み》ようとしていました。

ルイが最初《さいしょ》の本《ほん》を盲学校《もうがっこう》から出版《しゅっぱん》したのです。

タイトルは『点《てん》を使《つか》って、言葉《ことば》、楽譜《がくふ》、簡単《かんたん》な歌《うた》を書《か》く方法《ほうほう》―盲人《もうじん》のために作《つく》られた盲人《もうじん》が使《つか》う本《ほん》』という長《なが》いものでした。文字《もじ》どおり、目《め》の見《み》えない人《ひと》のためにつくられた文字《もじ》を紹介《しょうかい》した本《ほん》です。

この本《ほん》は、ピニエ校長《こうちょう》の協力《きょうりょく》なくして完成《かんせい》しませんでした。なぜならルイが話《はな》したことをピニエ校長《こうちょう》が書《か》きうつしたからです。二人《ふたり》の親密《しんみつ》な関係《かんけい》がよくわかるでしょう。

しかし、三十二《さんじゅうに》ページのこの本《ほん》は、ルイが考《こう》案《あん》した六点点字《ろくてんてんじ》だけを使《つか》った本《ほん》ではありません。歌《うた》の楽譜《がくふ》の部分《ぶぶん》だけが六点点字《ろくてんてんじ》で表記《ひょうき》され、歌《か》詞《し》の部分《ぶぶん》は浮《う》き出《だ》し文字《もじ》でした。

ルイが現在《げんざい》のような点字楽譜《てんじがくふ》の基礎《きそ》となる音楽《おんがく》記号《きごう》を完成《かんせい》させるまでには、それから五年《ごねん》の歳月《さいげつ》がかかることになります。

この本《ほん》の中《なか》で、ルイはバルビエ大尉《たいい》の十二点《じゅうにてん》点字《てんじ》よりも自分《じぶん》が発明《はつめい》した六点点字《ろくてんてんじ》のほうが使《つか》いやすいことに触《ふ》れています。しかし、バルビエ大《たい》尉《い》への感謝《かんしゃ》の気持《きも》ちも忘《わす》れていません。その本《ほん》には、こう記《しる》されていました。

「発明者《はつめいしゃ》（バルビエ大尉《たいい》）の名誉《めいよ》のために言《い》わなくてはならないが、著者《ちょしゃ》（ルイ）は彼《かれ》（バルビエ大尉《たいい》）の方法《ほうほう》から最初《さいしょ》のアイデアを得《え》たのである」

この出版《しゅっぱん》をルイが真《ま》っ先《さき》に知《し》らせたかった相《あい》手《て》は、盲学校入学《もうがっこうにゅうがく》に力《ちから》を尽《つ》くしてくれた父親《ちちおや》のシモン＝ルネでした。

（父《とう》さん、僕《ぼく》、とうとう本《ほん》を出版《しゅっぱん》したんだよ。

すごいでしょ）
心《こころ》の中《なか》で父親《ちちおや》に叫《さけ》ぶルイです。いつも気《き》にかけてくれていた父親《ちちおや》の思《おも》いに報《むく》いることができた、そんな気持《きも》ちだったのかもしれません。
もちろん、点字《てんじ》は盲学校《もうがっこう》の生徒《せいと》たちにも好評《こうひょう》でした。しかし、ルイが本《ほん》を出《だ》した後《あと》も、盲学校《もうがっこう》ではアユイの浮《う》き出《だ》し文字《もじ》を中心《ちゅうしん》にした授業《じゅぎょう》がつづくことになります。

父親《ちちおや》の死《し》

1831年《ねん》5月《がつ》、かねてより病床《びょうしょう》に伏《ふ》していたルイの父親《ちちおや》、シモン＝ルネの容体《ようだい》が悪化《あっか》します。

大好《だいす》きなワインを飲《の》もうとしなくなり、尿《にょう》も出《で》なくなりました。ひんぱんに苦《くる》しそうなうめき声《ごえ》をあげています。

「ルイ、ルイ。あー、私《わたし》のいとしい息子《むすこ》よ。私《わたし》はおまえのことが心配《しんぱい》で、心配《しんぱい》……」

そんなうわごとをベッドの上《うえ》でくり返《かえ》していました。

シモン＝ルネの病状《びょうじょう》を心配《しんぱい》していたピニエ校《こう》長《ちょう》は、長男《ちょうなん》のルイ＝シモンに様子《ようす》をうかがう手《て》紙《がみ》を出《だ》しています。その手紙《てがみ》を読《よ》んだルイ＝シモンがピニエ校長《こうちょう》にこんな返事《へんじ》を書《か》きました。

「（前略《ぜんりゃく》）先生《せんせい》（ピニエ校長《こうちょう》）が弟《おとうと》（ルイ）

の面倒《めんどう》を手厚《てあつ》くみてくださっていることを、父《ちち》（シモン＝ルネ）は心《こころ》から感謝《かんしゃ》しています。父《ちち》は、先生《せんせい》と妹《いもうと》さんが弟《おとうと》を見捨《みす》てはしないことを信《しん》じています。この思《おも》いによって、心《こころ》の平安《へいあん》を保《たも》っているのです。父《ちち》、母《はは》、兄弟《きょうだい》、そして妹《いもうと》からの敬愛《けいあい》の気持《きも》ちをどうぞお受《う》け取《と》りください」

ピニエ校長《こうちょう》は、盲学校《もうがっこう》の生徒《せいと》たちを自分《じぶん》の子《こ》どもたちと同《おな》じように大切《たいせつ》に思《おも》っていました。同《どう》居《きょ》していた妹《いもうと》も盲学校《もうがっこう》で復習《ふくしゅう》教師《きょうし》の手助《てだす》けをしており、ルイのことをとくに気《き》にかけていたようです。

この手紙《てがみ》が書《か》かれた翌日《よくじつ》、シモン＝ルネは家族《かぞく》に看取《みと》られながら息《いき》を引《ひ》き取《と》ります。六十六歳《ろくじゅうろくさい》でした。兄《あに》のルイ＝シモンはパリまで出《で》かけ、この悲《かな》しい知《し》らせをルイに直接伝《ちょくせつつた》えます。

（父《とう》さん、僕《ぼく》、もっともっと父《とう》さんと話《はなし》をしたかったのに、どうしてそんなに早《はや》く死《し》んでしまったの！）
深《ふか》い悲《かな》しみに暮《く》れたルイは数日間《すうじつかん》、誰《だれ》とも話《はなし》をしようとはしませんでした。

この年《とし》、ルイは咳込《せきこ》むことが多《おお》くなります。医師《いし》でもあるピニエ校長《こうちょう》もルイの体調《たいちょう》があまり良《よ》くないことに気《き》づきはじめていました。
（ひょっとしたら結核《けっかく》かも）

そんな思《おも》いがピニエ校長《こうちょう》の頭《あたま》をよぎります。当時《とうじ》、結核《けっかく》は「不治《ふじ》の病《やまい》」と言《い》われていました。治療方法《ちりょうほうほう》もわかっていません。つまり、「結《けっ》核《かく》＝死《し》」を意味《いみ》していたのです。そのため、ピニエ校長《こうちょう》はルイの負担《ふたん》を少《すこ》しでも軽《かる》くしようと、ルイが受《う》け持《も》つ授業《じゅぎょう》の数《かず》を減《へ》らしました。さらに、夏休《なつやす》みくらいはルイにできるだけ空気《くうき》のよい環境《かんきょう》で過《す》ごしてもらいたいとも思《おも》っていました。

「ルイ、もうすぐ夏休《なつやす》みだが、今年《ことし》は自宅《じたく》でゆっくりしたらどうかね」

「いいえ、寄宿舎《きしゅくしゃ》に残《のこ》って点字《てんじ》の研究《けんきゅう》をしますよ」

「いや、お父《とう》さんも亡《な》くなって、お母《かあ》さんは心《こころ》細《ぼそ》い思《おも》いをしているだろう。お母《かあ》さんのためにも帰《かえ》ってあげなさい。これは命令《めいれい》です！」

校長先生《こうちょうせんせい》にそこまで強《つよ》く言《い》われたら、断《ことわ》るわけにはいきません。ルイは夏休《なつやす》みをクーヴレの自《じ》宅《たく》で過《す》ごすことにしました。

クーヴレにいると、すぐに父親《ちちおや》のことを思《おも》い出《だ》します。まるで今《いま》でも父親《ちちおや》が生《い》きているような気《き》がしてなりません。そのことを母親《ははおや》に話《はな》すと、彼《かの》女《じょ》は遠《とお》くを見《み》つめるようなまなざしになりました。

「そうだよ、ルイ。父《とう》さんはおまえのことばかり心配《しんぱい》していたからね。今《いま》でもおまえを見守《みまも》っているにちがいないんだから」

その翌年《よくとし》、ルイはクーヴレのあるモー地方《ちほう》の聖《せい》ティエンヌ大聖堂《だいせいどう》にオルガン奏者《そうしゃ》として就職《しゅうしょく》することを考《かんが》えました。ひとりになった母親《ははおや》のことが心配《しんぱい》だったからです。

もともと音楽《おんがく》に興味《きょうみ》を持《も》っていたルイはさまざまな楽器《がっき》の演奏《えんそう》に挑戦《ちょうせん》してきました。盲学校《もうがっこう》に入学《にゅうがく》して五年目《ごねんめ》には、チェロの独奏《どくそう》で最優秀《さいゆうしゅう》賞《しょう》をもらっていますが、オルガンの演奏《えんそう》テクニックは、まさにプロ並《な》みと言《い》ってもいいほどでした。

それに、聖《せい》テティエンヌ大聖堂《だいせいどう》に常勤《じょうきん》のオルガン奏者《そうしゃ》として勤務《きんむ》すれば、母親《ははおや》のモニクにもすぐに会《あ》いにいけます。

しかし、ルイが考《かん》がえていた以上《いじょう》に給料《きゅうりょう》が安《やす》かったので断《ことわ》るしかありませんでした。

正教師《せいきょうし》になって

「ルイ、キミにいい知《し》らせがある」

ある日《ひ》、ピニエ校長《こうちょう》が珍《めずら》しく明《あか》るい口調《くちょう》で

ルイに声《こえ》をかけました。

「ピニエ先生《せんせい》、いい知《し》らせとはなんでしょうか？」

「やっとキミたち三人《さんにん》に給料《きゅうりょう》が出《で》ることになったよ。年《ねん》に三百《さんびゃく》フランだ」※現在《げんざい》の日本円《にほんえん》で約《やく》50万円《まんえん》。

「えーっ、月《つき》に二十五《にじゅうご》フランもですか！」

「ガブリエルとイポリットも喜《よろこ》ぶでしょう」

「もっといい知《し》らせがある」

「えっ、まだあるんですか？」

驚《おどろ》くルイにピニエ校長《こうちょう》がもったいぶった口《く》調《ちょう》で話《はな》しはじめました。

「キミたちは今日《きょう》から復習《ふくしゅう》教師《きょうし》ではない。復《ふく》習《しゅう》教師《きょうし》はもう卒業《そつぎょう》だ。そう、正教師《せいきょうし》になったんだ。これからも頑張《がんば》ってくれたまえ」

「ええ、もちろんですとも！」

ルイが自分《じぶん》でも驚《おどろ》くほどの明《あか》るい声《こえ》でした。それも無理《むり》はありません。ルイはずっと「正教《せいきょう》師《し》」になることを待《ま》ち望《のぞ》んでいたからです。

もちろん、毎月給料《まいつききゅうりょう》が出《で》ることも嬉《うれ》しかったのですが、ルイは制服《せいふく》の変化《へんか》にも感激《かんげき》しました。上着《うわぎ》の両襟《りょうえり》に教師《きょうし》の証《あかし》である造花《ぞうか》か金箔《きんぱく》のシュロの葉《は》を飾《かざ》る特権《とっけん》が与《あた》えられたのです。シモン＝ルネの死《し》から二年《にねん》経《た》った1833年《ねん》、ルイが二十《にじゅう》四歳《よんさい》のときでした。

ところで、正教師時代《せいきょうしじだい》のルイにはあだ名《な》があり

〈シュロの葉《は》〉

ました。それは「監察官《かんさつかん》」です。

どうしてそんなあだ名《な》がつけられたのでしょうか。

当時《とうじ》のフランス社会《しゃかい》では、教師《きょうし》が規則違反《きそくいはん》の生徒《せいと》のお尻《しり》を叩《たた》いたりする体罰《たいばつ》は、けっして珍《めずら》しいことではなく、ごくごく普通《ふつう》のことです。ルイも例外《れいがい》ではありません。それどころか、他《ほか》の教師《きょうし》が体罰《たいばつ》をためらっているときでも、ニッコリと微笑《ほほえ》みながら他《ほか》の先生《せんせい》に代《か》わって「愛《あい》のムチ」を実行《じっこう》する教師《きょうし》でした。

ルールを破《やぶ》る生徒《せいと》にはきびしいことから、生徒《せいと》はルイを「監察官《かんさつかん》」というあだ名《な》で呼《よ》んでいたのです。

ルイと一緒《いっしょ》に正教師《せいきょうし》に昇格《しょうかく》したイポリット・コルタは、ルイとちがって生徒《せいと》への体罰《たいばつ》を嫌《いや》がる先生《せんせい》でした。ある日《ひ》、クラスメイトのノートを引《ひ》きちぎった生徒《せいと》をなかなか罰《ばっ》しようとしないイポリットに、

「仕方《しかた》がないな。僕《ぼく》が生徒《せいと》を叱《しか》ってやるよ」

とルイが代《か》わって体罰《たいばつ》を申《もう》し出《で》ました。

「やめろよ、ルイ。おまえ、生徒《せいと》からなんて呼《よ》ばれているか知《し》ってるのか？」

「ああ、『監察官《かんさつかん》』だろ」

「なーんだ、知《し》っていたのか。つまんない」

「悪口《わるくち》って、すぐ入《はい》ってくるもんだからね。けど、イポリット、ルールを破《やぶ》ったら、痛《いた》い目《め》にあうということを生徒《せいと》にわからせないとダメだよ。きびしくしないと生徒《せいと》のためにならないからね」
規則《きそく》を守《まも》らない生徒《せいと》にはきびしく罰則《ばっそく》を与《あた》える
ルイでしたが、けっして嫌《きら》われてはいませんでし
た。それどころか生徒《せいと》の間《あいだ》では大人気《だいにんき》の教師《きょうし》だ
ったのです。
「それにしてもルイ、おまえって不思議《ふしぎ》な奴《やつ》だな。
生徒《せいと》をきびしく叱《しか》っても、ぜんぜん嫌《きら》われない
もの」
イポリットが感心《かんしん》すると、ルイはこう言《い》いました。

「ああ、それは僕《ぼく》の授業《じゅぎょう》が面白《おもしろ》いからに決《き》まってるじゃないか」

「あ〜あ、ほんと自信家《じしんか》なんだから」

実際《じっさい》、彼《かれ》の話《はなし》は人《ひと》を退屈《たいくつ》させることはありませんでした。生徒《せいと》たちもルイの話《はなし》についつい引《ひ》き込《こ》まれていきます。生徒《せいと》たちが退屈《たいくつ》そうにしていると思《おも》ったら、すぐに別《べつ》の話題《わだい》に切《き》り替《か》える機《き》転《てん》の良《よ》さもルイにはありました。

冗談《じょうだん》を言《い》ったかと思《おも》えば、急《きゅう》に真面目《まじめ》な話《はなし》

に移《うつ》ったりするなど、ルイは緊張感《きんちょうかん》も演出《えんしゅつ》しました。生徒《せいと》たちは、まるで遊園地《ゆうえんち》のジェットコースターに乗《の》っているような、ワクワクした気分《きぶん》にさせられたものです。ルイはけっして生徒《せいと》たちの気《き》を自分《じぶん》からそらしませんでした。

同僚《どうりょう》の教師《きょうし》たちもルイとの会話《かいわ》を楽《たの》しみました。イポリットやガブリエルのような目《め》の見《み》えない教師《きょうし》だけではありません。目《め》の見《み》える教師《きょうし》たちも、ルイのユーモアに富《と》んだ会話《かいわ》にひきこまれていたのです。

「キミって、人《ひと》の心《こころ》をあやつる天才《てんさい》かもな」

イポリットがあえて冗談《じょうだん》っぽくルイに伝《つた》えましたが、彼《かれ》は本心《ほんしん》からそう思《おも》っていました。

オルガン奏者《そうしゃ》・ルイ

ところで、そのころのルイの唯一《ゆいいつ》の気晴《きば》らしは音楽《おんがく》でした。ピニエ校長《こうちょう》も、ルイのオルガン演《えん》奏《そう》の実力《じつりょく》を前《まえ》から知《し》っていました。ある日《ひ》、ピニエ校長《こうちょう》はルイにこんな提案《ていあん》をします。

「ルイ、キミも知《し》っているだろうが、盲学校《もうがっこう》の近《ちか》くに聖《せい》ニコラ・デ・シャン教会《きょうかい》がある。その教《きょう》会《かい》でオルガン奏者《そうしゃ》を探《さが》しているらしい。授業《じゅぎょう》もあるし、点字《てんじ》の研究《けんきゅう》もあるだろうから、忙《いそが》しいのはわかっている。しかしどうだね、気晴《きば》らしにオルガンを演奏《えんそう》してみないか？」

大好《だいす》きなオルガンの演奏《えんそう》です。聖《せい》ニコラ・デ・

シャン教会《きょうかい》は、立派《りっぱ》なオルガンが置《お》かれていることでも知《し》られていました。そして、何《なに》よりも嬉《うれ》しいことがあります。演奏料《えんそうりょう》がもらえるというのです。ルイはすぐに返事《へんじ》をしました。

「ぜひ、やらせてください」

こうしてルイは教会《きょうかい》のオルガン奏者《そうしゃ》を引《ひ》き受《う》けます。

日曜《にちよう》のミサにやってきた人《ひと》たちの何人《なんにん》かが、オルガン演奏者《えんそうしゃ》が新顔《しんがお》であることに気《き》づきました。

そして、演奏《えんそう》がはじまると誰《だれ》もがいつもとちがう演奏法《えんそうほう》に気《き》づきます。ある老夫婦《ろうふうふ》がこんな会話《かいわ》を交《か》わしていました。

「ん？最近《さいきん》オルガン奏者《そうしゃ》が代《か》わったのか？」

「ええ、若《わか》い人《ひと》みたいよ」

「なかなか上手《じょうず》じゃないか」

「そうね」

こんなふうに教会《きょうかい》のあちこちでひそひそ話《ばなし》がはじまりました。

「なんでも盲学校《もうがっこう》の先生《せんせい》らしい」

「目《め》が見《み》えないっていうじゃないの」

「楽譜《がくふ》は見《み》えるのか？」

目《め》の見《み》えないルイは、その分《ぶん》、周囲《しゅうい》の音《おと》をよく聞《き》いています。みんなが自分《じぶん》のことを話題《わだい》にしていることがわかり、演奏《えんそう》に一層力《いっそうちから》が入《はい》りました。ルイの素晴《すば》らしい演奏《えんそう》が教会《きょうかい》にきている人《ひと》たちを魅了《みりょう》し、教会《きょうかい》での初《はじ》めての演奏《えんそう》は成功《せいこう》のうちに終《お》わりました。

「あの聖《せい》ニコラ・デ・シャン教会《きょうかい》では、盲学校《もうがっこう》の先生《せんせい》がオルガンを演奏《えんそう》しているんだって。彼《かれ》も目《め》が見《み》えないけど、すごく演奏《えんそう》がうまいらしい」

そんなウワサがパリ中《じゅう》に広《ひろ》まりました。

「ぜひ私《わたし》の教会《きょうかい》でも演奏《えんそう》してもらいたい」

という依頼《いらい》が盲学校《もうがっこう》に殺到《さっとう》します。ルイは、まさに引《ひ》っ張《ぱ》りだこでした。

結局《けっきょく》、パリ教会区《きょうかいく》のノートルダム・デ・シャン教会《きょうかい》をはじめ、あちこちの教会《きょうかい》でルイはオルガン奏者《そうしゃ》をつとめることになります。こうして亡《な》くなるまでオルガン奏者《そうしゃ》の肩書《かたがき》がついて回《まわ》ることになりました。

教会《きょうかい》でのオルガン演奏《えんそう》はいい副収入《ふくしゅうにゅう》にもなりました。正教師《せいきょうし》の給料《きゅうりょう》にオルガンの演奏料《えんそうりょう》が加《くわ》わったのです。ルイにとっては、趣味《しゅみ》と実益《じつえき》を兼《か》ねた最高《さいこう》の息抜《いきぬ》きだったにちがいありません。

そして、オルガン演奏《えんそう》で教会《きょうかい》に行《い》くときや日曜《にちよう》の外出《がいしゅつ》のときには、必《かなら》ず上着《うわぎ》の両襟《りょうえり》に造花《ぞうか》か金《きん》箔《ぱく》のシュロの葉《は》を飾《かざ》った制服《せいふく》を着《き》ていました。いかにこの制服《せいふく》が気《き》に入《い》っていたかわかるでしょう。

ルイがオルガンと関《かか》わったのは、パリにおいてだけではありません。夏休《なつやす》みやその他《ほか》の長期休《ちょうききゅう》暇《か》でクーヴレ村《むら》に帰《かえ》ったときなどは、村周辺《むらしゅうへん》でオルガンの調律《ちょうりつ》をして、生活費《せいかつひ》の足《た》しにしていました。

不穏《ふおん》な日々《ひび》

ルイにとって、父親《ちちおや》の死《し》は大《おお》きなショックでした。しかし、1834年《ねん》に開《ひら》かれた盲学校《もうがっこう》の理事《りじ》会《かい》での決定《けってい》も、父《ちち》の死《し》と同《おな》じくらいのショックをルイに与《あた》えます。

この年《とし》の理事会《りじかい》で、六点点字《ろくてんてんじ》のアルファベットを生徒《せいと》が使用《しよう》することを「禁止《きんし》」するという決定《けってい》が下《くだ》されたのです。これに違反《いはん》した生徒《せいと》は罰則《ばっそく》が科《か》せられることになりました。

ピニエ校長《こうちょう》から理事会《りじかい》の決定《けってい》を知《し》らされたルイは言葉《ことば》を失《うしな》いました。

「ルイ、残念《ざんねん》なことになったけど、理事会《りじかい》が決《き》めたことだからな。私《わたし》にはどうしようもないんだ。本当《ほんとう》に申《もう》し訳《わけ》ない」

「いいんです、ピニエ先生《せんせい》。そのうちわかってくれるでしょうから」

そう答《こた》えるのが精一杯《せいいっぱい》のルイでした。しかし、その場《ば》にいたガブリエルとイポリットが、ルイに代《か》わって理事会《りじかい》への怒《いか》りをぶちまけます。

「理事会《りじかい》のわからず屋《や》め。なんてひどい奴《やつ》らなんだ。せっかくルイがオレたちのために、素晴《すば》らしい点字《てんじ》をつくったんですよ。なのに、どうして禁《きん》止《し》するんですか。違反《いはん》した生徒《せいと》には罰《ばつ》を与《あた》える？冗談《じょうだん》じゃないですよ。生徒《せいと》たちもかわいそうじゃないですか。イポリット、キミもそうは思《おも》わないか？」

「そうさ、まったくおかしいよ」

イポリットもガブリエルに同調《どうちょう》しました。ガブリエルはなおもつづけます。

「理事会《りじかい》は生徒《せいと》たちのことをぜんぜん考《かんが》えてないんだ。ピニエ先生《せんせい》。ルイのアルファベットはわかりやすくて、今《いま》までの文字《もじ》の中《なか》で最高《さいこう》に使《つか》いやすいんです。それが証拠《しょうこ》に、生徒《せいと》たちはルイの点字《てんじ》を使《つか》って手紙《てがみ》のやりとりをしているじゃないですか」

「ああ、それは私《わたし》もよくわかっている」

ピニエ校長《こうちょう》は困《こま》ったような表情《ひょうじょう》です。

「だったら、なぜ禁止《きんし》するんですか」

「だが、理事会《りじかい》が……」

「ピニエ先生《せんせい》はいつもそうなんだから」

イポリットはため息《いき》をつきました。

「イポリット、ピニエ先生《せんせい》は僕《ぼく》たちの味方《みかた》なんだ。そんなに先生《せんせい》を責《せ》めるなよ」

ルイがピニエ校長《こうちょう》をかばいます。

「だって」

「うっ、ゴボッ、ゴボッ！」

そのとき、突然《とつぜん》、ルイが咳込《せきこ》みました。

「ルイ、大丈夫《だいじょうぶ》か？」

心配《しんぱい》そうにピニエ校長《こうちょう》がルイの顔《かお》をのぞきこみます。

「ええ、大丈夫《だいじょうぶ》です。風邪《かぜ》をひいたみたいです。一晩《ひとばん》寝《ね》れば治《なお》りますよ」

「それならいいが……」

しかし、ガブリエルは最近《さいきん》、ルイがよく咳《せき》をしていることに気《き》づいていました。そのことをピニエ校長《こうちょう》に伝《つた》えようとしましたが、（せっかく正教師《せいきょうし》になれたのに、病気《びょうき》のせいでクビにされたらルイがかわいそうだ）と思《おも》い、黙《だま》っていました。

ルイ本人《ほんにん》もガブリエルと同《おな》じ思《おも》いです。

その夜《よる》もルイはベッドの上《うえ》で咳込《せきこ》み、寝汗《ねあせ》をびっしょりとかきました。次《つぎ》の日《ひ》も、また次《つぎ》の日《ひ》も……。咳込《せきこ》む回数《かいすう》は日《ひ》に日《ひ》に増《ふ》える一方《いっぽう》です。不安《ふあん》な日々《ひび》を送《おく》るルイでしたが、ある日《ひ》、ピニエ校長《こうちょう》が嬉《うれ》しい知《し》らせを持《も》ってきました。

「ルイ、産業製品博覧会《さんぎょうせいひんはくらんかい》に出展《しゅってん》が決《き》まったぞ」

「何《なに》がですか？」

「キミの六点点字《ろくてんてんじ》を産業製品博覧会《さんぎょうせいひんはくらんかい》で公開《こうかい》することになったんだよ」

「えっ、本当《ほんとう》ですか？」

「これが、六点点字《ろくてんてんじ》がもっと広《ひろ》く知《し》られるきっかけになるかもしれないな」

「ピニエ先生《せんせい》、ありがとうございます。けど、理《り》事会《じかい》のほうは大丈夫《だいじょうぶ》なんですか？」

「ルイ、安心《あんしん》したまえ。理事会《りじかい》が決《き》めたのは、生《せい》徒《と》がルイの点字《てんじ》を使用《しよう》してはいけないということだけだよ。なにも一般《いっぱん》に公開《こうかい》するのはダメだとは言《い》っていない。つまり、産業製品博覧会《さんぎょうせいひんはくらんかい》で公開《こうかい》しても、理事会《りじかい》は文句《もんく》のつけようがないということだ」

この年《とし》、パリのコンコルド広場《ひろば》で産業製品博覧会《さんぎょうせいひんはくらんかい》が開《ひら》かれました。

ピニエ校長《こうちょう》のはたらきかけで、ルイの発明《はつめい》した六点点字《ろくてんてんじ》も公開《こうかい》され、盲人教育関係者《もうじんきょういくかんけいしゃ》の注目《ちゅうもく》を集《あつ》めたのは言《い》うまでもありません。理事会《りじかい》の決定《けってい》にひどく落《お》ち込《こ》んでいたルイを元気《げんき》づける最高《さいこう》のプレゼントでした。

あとでわかることですが、ものごとが嫌《きら》いとはいえ、ピニエ校長《こうちょう》は理事会《りじかい》の決定《けってい》に「ハイハイ」と従《したが》うほどの弱腰《よわごし》ではありませんでした。ルイの点字《てんじ》を実際《じっさい》には「禁止《きんし》」にせず、相変《あいか》わらずアユイの浮《う》き出《だ》し文字《もじ》と併用《へいよう》させていたのです。

結核《けっかく》

1836年《ねん》はパリにとって、記念《きねん》すべき年《とし》になりました。

この年《とし》、建設工事《けんせつこうじ》がはじまってから二十九年《にじゅうくねん》目《め》にやっと凱旋門《がいせんもん》が完成《かんせい》したのです。今《いま》ではパリ市《し》に欠《か》かせない建造物《けんぞうぶつ》の一《ひと》つですが、当時《とうじ》のパリ市《し》民《みん》も、そのどうどうたる姿《すがた》に驚《おどろ》いたことでしょう。凱旋門《がいせんもん》の登場《とうじょう》は、パリが世界《せかい》に誇《ほこ》る近代都《きんだいと》市《し》になりつつあることを象徴《しょうちょう》する出来事《できごと》でした。パリには輝《かがや》かしい未来《みらい》が待《ま》っていたのです。

そんな明《あか》るいパリとは対照的《たいしょうてき》に、ルイの体《からだ》は徐々《じょじょ》にむしばまれていきました。凱旋門《がいせんもん》が完成《かんせい》する前《まえ》の年《とし》、ルイの咳込《せきこ》む回数《かいすう》は増《ふ》え、微熱《びねつ》が絶《た》えることはありませんでした。頭《あたま》がボーっとし、点字《てんじ》の研究《けんきゅう》にも集中力《しゅうちゅうりょく》が欠《か》けることもたびたびでした。ときどき胸《むね》がしめつけられるような痛《いた》みもあります。ある夜《よる》、みんなが寝静《ねしず》まったころ、

「ゴボッ、ゴボッ」

仰向《あおむ》けに寝《ね》ていたルイが咳込《せきこ》みました。いつになく顔《かお》が火照《ほて》っています。

「ゴボッ、ゴボッ……あー、ゴボッ…」

胸《むね》も痛《いた》い。

「うーっ、ゴボッ、グググッ……」

ルイは急《きゅう》に口《くち》の中《なか》が生暖《なまあたた》かくなったように感《かん》じました。

（唾《つば》でもたまったのだろうか？）

そう思《おも》ったルイは、体《からだ》を起《お》こします。そして手《て》のひらに唾《つば》を吐《は》こうとしました。しかし、何《なに》やらドロッとした液体《えきたい》が手《て》のひらをおおっていきます。

（な、なんなんだ、これは…）

ルイは慌《あわ》てふためきました。

「ゴ、ゴ、ゴボッ、ゴボッ」

ルイは口《くち》を手《て》で押《お》さえますが、口《くち》の中《なか》にたまった液体《えきたい》がドバッと噴《ふ》き出《で》ます。血《ち》のニオイがあたりに立《た》ち込《こ》めました。

（やっぱり血《ち》だ！）

喀血《かっけつ》したのです。恐《おそ》れていたことが現実《げんじつ》になったことをルイは悟《さと》りました。

「ルイ、大丈夫《だいじょうぶ》か！」

ガブリエルがルイの部屋《へや》に飛《と》び込《こ》んできました。その後《うし》ろにはイポリットが心配《しんぱい》そうに立《た》っています。

「イポリット、校医《こうい》を呼《よ》ぶんだ。早《はや》く！」

しばらくして、パジャマ姿《すがた》の校医《こうい》が駆《か》けつけました。校医《こうい》が聴診器《ちょうしんき》でルイの胸《むね》を診《み》ているときでも、ルイの口《くち》からゼイゼイとゴボッ、ゴボッという音《おと》が絶《た》え間《ま》なく漏《も》れてきます。

「ブライユ先生《せんせい》、もっと早《はや》く私《わたし》が診《み》ていればよかった。残念《ざんねん》ながら肺結核《はいけっかく》ですな」

「そ、そうですか……やっぱり、ゴボッ……」

ルイが苦《くる》しそうな表情《ひょうじょう》であえぎました。

「先生《せんせい》、治療法《ちりょうほう》は？」

ガブリエルが尋《たず》ねます。

「安静《あんせい》にしているしかないですな。授業《じゅぎょう》もしばらくは無理《むり》ですぞ。ピニエ校長《こうちょう》には私《わたし》から言《い》っておくことにしましょう」

19世紀《せいき》のヨーロッパは、結核《けっかく》が猛威《もうい》をふるっていました。とくにパリの住環境《じゅうかんきょう》は最悪《さいあく》です。公《こう》衆衛生《しゅうえいせい》の意識《いしき》が低《ひく》く、コレラや腸《ちょう》チフス、そして結核《けっかく》などの伝染病《でんせんびょう》がまんえんしていました。盲学校《もうがっこう》のある地域《ちいき》はきわめて劣悪《れつあく》な環境《かんきょう》だったので、結核《けっかく》に感染《かんせん》する生徒《せいと》も珍《めずら》しくありませんでした。

さて、不幸《ふこう》にして結核《けっかく》にかかった人《ひと》は、いったいどうしたのでしょうか。

結核《けっかく》の死亡率《しぼうりつ》は高《たか》く、パリでは19世紀末《せいきまつ》になっても全死因《ぜんしいん》の二十五《にじゅうご》パーセントを占《し》めていました。ストレプトマイシンなどの結核《けっかく》の治療薬《ちりょうやく》が登場《とうじょう》する20世紀前半《せいきぜんはん》までは、空気《くうき》がきれいなところで、ただただ安静《あんせい》にするしかなかったのです。

話《はなし》を聞《き》いたピニエ校長《こうちょう》はルイの性格《せいかく》を考《かんが》えて、こう提案《ていあん》しました。

「ルイ、しばらく仕事《しごと》を休《やす》めとは言《い》わない。キミもそれは望《のぞ》まないだろう。だから、低学年《ていがくねん》の生徒《せいと》たちを教《おし》えてくれないか。そのほうが負担《ふたん》が少《すく》なくていいだろう」

意外《いがい》にもルイはピニエ校長《こうちょう》の提案《ていあん》に従《したが》うことにしました。授業《じゅぎょう》の時間《じかん》が減《へ》らされると、点字《てんじ》を研究《けんきゅう》する時間《じかん》が増《ふ》えると考《かんが》えたからです。研究《けんきゅう》に集中《しゅうちゅう》できたせいか、ルイは翌年《よくとし》、アルファベットにフランス語《ご》にはないW《ダブリュー》の点字《てんじ》を新《あら》たに加《くわ》えました。盲学校《もうがっこう》の生徒《せいと》だったイギリス人《じん》の少年《しょうねん》からの依頼《いらい》がきっかけでした。

「ブライユ先生《せんせい》、フランス語《ご》にW《ダブリュー》は必要《ひつよう》ないけど、英語《えいご》にはぜったい必要《ひつよう》です。W《ダブリュー》がないと文章《ぶんしょう》がつくれません。先生《せんせい》、お願《ねが》いです。どうか僕《ぼく》たちのためにW《ダブリュー》をつくってください」

さらに次《つぎ》の年《とし》には、盲学校《もうがっこう》の教師《きょうし》と生徒《せいと》によって、六点点字《ろくてんてんじ》でフランス史《し》の点字本《てんじぼん》（全三巻《ぜんさんかん》）が出版《しゅっぱん》されました。もちろん、ルイの六点点字《ろくてんてんじ》が用《もち》いられたものです。

そしてルイの最初《さいしょ》の本《ほん》の改訂版《かいていばん》も出版《しゅっぱん》されます。この改訂版《かいていばん》が、ブライユ点字《てんじ》が世界中《せかいじゅう》に広《ひろ》まるきっかけとなりました。

この年《とし》の5月《がつ》、フランス議会《ぎかい》で盲学校《もうがっこう》の新《あたら》しい建物《たてもの》をつくることが決議《けつぎ》されます。

新《あら》たな課題《かだい》

1839年《ねん》、ルイは三十歳《さんじっさい》を迎《むか》えました。

クーヴレ村《むら》からパリに出《で》てきて、ちょうど二十年目《にじゅうねんめ》の年《とし》です。

ルイの考案《こうあん》した六点点字《ろくてんてんじ》は、使用禁止《しようきんし》の決定《けってい》が理事会《りじかい》でなされ、その後《ご》もアユイの浮《う》き出《だ》し文字《もじ》による教育《きょういく》がつづけられていました。しかし、学内《がくない》では多《おお》くの生徒《せいと》たちが引《ひ》きつづきルイの六点《ろくてん》点字《てんじ》を使《つか》っていました。やはり、視覚障害者《しかくしょうがいしゃ》たちに使《つか》いやすい文字《もじ》だったからでしょう。

そうはいっても、ルイの点字《てんじ》が、「目《め》の見《み》える人《ひと》と見《み》えない人《ひと》との間《あいだ》に壁《かべ》をつくるのではないか」という理事会《りじかい》の意見《いけん》もけっして頭《あたま》ごなしに否定《ひてい》できません。ルイも見《み》えない人《ひと》と見《み》える人《ひと》とのコミュニケーションの必要性《ひつようせい》を十分理解《じゅうぶんりかい》していました。

(見《み》える人《ひと》と見《み》えない人《ひと》が、直接文字《ちょくせつもじ》を使《つか》って意思《いし》を疎通《そつう》する方法《ほうほう》はないのか)

考《かんが》え抜《ぬ》いた結果《けっか》、ルイは一《ひと》つの方法《ほうほう》を見《み》つけます。

それが「デカポワン」という方法《ほうほう》でした。縦《たて》十《じゅう》×横十《よこじゅう》の点《てん》でアルファベットの形《かたち》そのものをあらわすようにしたものです。このデカポワンによって、目《め》の見《み》えない人《ひと》が目《め》の見《み》える人《ひと》に手紙《てがみ》を書《か》くことができるようになりました。それだけではなく、自分《じぶん》で書《か》いた文字《もじ》を確認《かくにん》することもできます。

では、どうやって文字《もじ》を書《か》くのでしょうか。まず書《か》きたい文字《もじ》に必要《ひつよう》な点《てん》を十点《じってん》×十点《じってん》の行列《ぎょうれつ》から選《えら》び、点筆《てんぴつ》を紙《かみ》に押《お》しつけてアルファベットを形《かたち》づくるのです。

デカポワンはアユイの浮《う》き出《だ》し文字《もじ》に比《くら》べると、かなりの進歩《しんぽ》でした。それでも、読《よ》み書《か》きするには時間《じかん》がかかりすぎます。さらに文字《もじ》を書《か》くスペースもゆったりしていないとダメでした。いったいどう解決《かいけつ》すればいいのか、ルイは頭《あたま》を悩《なや》ませます。

（そうだ！　こんなときこそ、彼《かれ》の力《ちから》を借《か》りればいいじゃないか！）

ルイはある友人《ゆうじん》に応援《おうえん》を頼《たの》みました。

その友人《ゆうじん》とは、ルイが入学《にゅうがく》する一年前《いちねんまえ》まで盲《もう》学校《がっこう》の生徒《せいと》だった機械工《きかいこう》のピエール＝フランソワ＝ヴィクトール・フーコーです。ルイはデカポワンをだれでも簡単《かんたん》に書《か》くことができる機械《きかい》を作《つく》ってくれるよう、フーコーに依頼《いらい》したのです。機械《きかい》を作《つく》るにあたってフーコーはデカポワンを書《か》くために必要《ひつよう》なポイントをルイから聞《き》き出《だ》しました。

「ルイ、わかったよ。キミの頼《たの》みだから、断《ことわ》ることなんてできないさ。いいよ、私《わたし》にまかせなさい」

「持《も》つべきものは友達《ともだち》だ。助《たす》かるよ」

「そうおっしゃっていただいて光栄《こうえい》です、ブライユ先生《せんせい》。いや、今《いま》や有名人《ゆうめいじん》だから、大先生《だいせんせい》と言《い》ったほうがいいかな」

「いいえ、いいえ、巨匠《きょしょう》にそうおっしゃっていただき、僕《ぼく》のほうこそ光栄《こうえい》です」

二人《ふたり》は笑《わら》いながら別《わか》れました。体調《たいちょう》が思《おも》わしくなくても、自分《じぶん》のやっていることが実際《じっさい》に実《み》を結《むす》ぶと、不思議《ふしぎ》と全身《ぜんしん》に元気《げんき》が湧《わ》いてきます。ピニエ校長《こうちょう》をはじめ、ルイの理解者《りかいしゃ》たちの喜《よろこ》ぶ顔《かお》も、ルイに勇気《ゆうき》を与《あた》えました。

（けっして私《わたし》だけの孤独《こどく》な闘《たたか》いではないのだ。みんながついている。そのためにも、病気《びょうき》に負《ま》けないで頑張《がんば》るぞ！）

こうしてルイは以前《いぜん》にも増《ま》して熱心《ねっしん》に研究《けんきゅう》をつづけます。

しかし翌年《よくとし》、ルイの良《よ》き理解者《りかいしゃ》であるピニエ校《こう》長《ちょう》に危機《きき》が訪《おとず》れました。デュフォー副校長《ふくこうちょう》がピニエ校長《こうちょう》の追《お》い落《お》としにかかったのです。

ある日《ひ》、理事会《りじかい》の有力者《ゆうりょくしゃ》と教師《きょうし》たちを前《まえ》にして、デュフォー副校長《ふくこうちょう》が熱弁《ねつべん》をふるいました。

「みなさん、ピニエ校長《こうちょう》はご自分《じぶん》が教《おし》える歴史《れきし》の授業《じゅぎょう》で、生徒《せいと》たちにいったいどんなことを行《おこな》っているかご存《ぞん》じですか。この愛《あい》するフランスの歴《れき》史《し》をゆがめようと、間《ま》ちがった歴史《れきし》教育《きょういく》を行《おこな》っているのです。こんなことが許《ゆる》されてよいのでしょうか」

このデュフォー副校長《ふくこうちょう》のあからさまな工作《こうさく》が功《こう》を奏《そう》してしまい、なんとピニエ校長《こうちょう》は辞《や》めざるをえなくなってしまったのです。ルイの六点《ろくてん》点字《じ》を使《つか》うことをいつも応援《おうえん》してくれたピニエ校《こう》長《ちょう》が学校《がっこう》を去《さ》るとは思《おも》ってもみなかったことです。ルイにとって大《おお》きなショックであったことはまちがいありません。

別《わか》れ際《ぎわ》にルイはピニエ校長《こうちょう》に会《あ》いました。

「ルイ、私《わたし》はこの盲学校《もうがっこう》を去《さ》ることになった。だが、けっして失望《しつぼう》するんじゃない。キミの味方《みかた》をする教師《きょうし》も少《すく》なくないからね。ゴーティエ先《せん》生《せい》もコルタ先生《せんせい》もいる。けっしてキミ一人《ひとり》ではない。それでは体《からだ》に気《き》をつけるんだ。私《わたし》の住《す》まいは、この盲学校《もうがっこう》の近所《きんじょ》だから、いつでも遊《あそ》びにきなさい」

「はい、とても寂《さび》しいですが、先生《せんせい》もお元気《げんき》で。……それと、妹《いもうと》さんにもよろしくお伝《つた》えください」

そう、独身《どくしん》のピニエには妹《いもうと》が一人《ひとり》いました。ルイはクーヴレ村《むら》に帰省《きせい》したとき、この妹《いもうと》に手紙《てがみ》を何度《なんど》も書《か》き送《おく》っていました。おそらくほのかな恋心《こいごころ》を抱《いだ》いていたのでしょう。

ピニエは盲学校《もうがっこう》を辞《や》めた後《あと》も、妹《いもうと》と二人《ふたり》で盲《もう》学校《がっこう》からすぐそばのところに住《す》んでいました。ルイはガブリエルとイポリットを誘《さそ》って、ピニエ家《け》をたびたび訪《おとず》れています。かつての恩師《おんし》と話《はな》したいこともたくさんあったようですが、本当《ほんとう》はピニエよりも妹《いもうと》に会《あ》いたかったのかもしれません。

デュフォーの暴挙《ぼうきょ》

ところで、一体誰《いったいだれ》がピニエ前校長《ぜんこうちょう》の跡《あと》を継《つ》いだのでしょうか。

ピニエ追《お》い出《だ》し工作《こうさく》の「主犯《しゅはん》」だったデュフォー副校長《ふくこうちょう》です。彼《かれ》はルイのやることなすことが気《き》に入《い》りませんでした。ルイの点字使用《てんじしよう》にことごとく反対《はんたい》し、アユイの浮《う》き出《だ》し文字《もじ》をかたくなに守《まも》り通《とお》そうとしたのです。

「あの分《わ》からず屋《や》のデュフォー先生《せんせい》が校長《こうちょう》だと、これから先《さき》が思《おも》いやられる」

ガブリエルが肩《かた》をすぼめました。イポリットも、

「オレ、この学校《がっこう》、辞《や》めようかな」

と弱音《よわね》を吐《は》きました。

しかし、ある人物《じんぶつ》の登場《とうじょう》で事態《じたい》が予想《よそう》もしな

かった方向《ほうこう》に進《すす》みます。その人物《じんぶつ》とは、デュフォー校長《こうちょう》の推薦《すいせん》で副校長《ふくこうちょう》になったジョーゼフ・ガデです。

ガデ副校長《ふくこうちょう》は、盲学校《もうがっこう》の生徒《せいと》たちが好《この》んで使《つか》っているルイの六点点字《ろくてんてんじ》に注目《ちゅうもく》しました。

（うーん、なかなか素晴《すば》らしい文字《もじ》ではないか。目《め》の見《み》える人《ひと》にはわからないけど、生徒《せいと》たちは水《みず》をえた魚《さかな》のように、この文字《もじ》を書《か》いたり読《よ》んだりしている）

疑問《ぎもん》に思《おも》ったガデ副校長《ふくこうちょう》は、デュフォー校長《こうちょう》にはっきりと問《と》いただしました。

「あんな素晴《すば》らしい点字《てんじ》をなぜ正式《せいしき》に採用《さいよう》しないんですか？」

「ガデ先生《せんせい》、校長《こうちょう》は私《わたし》だ。キミではない。今後《こんご》は私《わたし》の方針《ほうしん》に従《したが》ってもらおう」

はっきりした理由《りゆう》も言《い》わずに、聞《き》く耳《みみ》を持《も》たないデュフォー校長《こうちょう》の態度《たいど》に、その場《ば》は引《ひ》き下《さ》がるしかないガデ副校長《ふくこうちょう》でした。その後《ご》もガデ副《ふく》校長《こうちょう》はくり返《かえ》しデュフォー校長《こうちょう》に点字《てんじ》の採用《さいよう》を訴《うった》えましたが、デュフォー校長《こうちょう》の返事《へんじ》はいつも決《き》まっていました。

「またかね、ガデ先生《せんせい》。その話《はなし》はこれで最後《さいご》にしたまえ」

それでもガデ副校長《ふくこうちょう》はあきらめませんでした。

翌《よく》1841年《ねん》4月《がつ》、バルビエ大尉《たいい》が七十四年《ななじゅうよねん》の生涯《しょうがい》を終《お》えます。

ルイはバルビエ大尉《たいい》にしばしば面会《めんかい》を申《もう》し込《こ》んでいました。ルイが六点字《ろくてんじ》を発明《はつめい》したのも、バルビエ大尉《たいい》の十二点点字《じゅうにてんてんじ》が大《おお》きなヒントを与《あた》えてくれたからです。バルビエ大尉《たいい》がどう思《おも》っていようと、ルイは大尉《たいい》にとても感謝《かんしゃ》していました。

しかし、バルビエ大尉《たいい》は長《なが》い間《あいだ》ルイと会《あ》おうとしませんでした。直接自宅《ちょくせつじたく》を訪《たず》ねたこともありましたが、それでも大尉《たいい》はルイとの面会《めんかい》を拒否《きょひ》しつづけました。仕方《しかた》なく、ルイは感謝《かんしゃ》の手紙《てがみ》を送《おく》ります。

バルビエ大尉《たいい》が亡《な》くなる数日前《すうじつまえ》のことでした。ルイのもとに一通《いっつう》の手紙《てがみ》が届《とど》きます。差出人《さしだしにん》はバルビエ大尉《たいい》でした。そこには、次《つぎ》のように記《しる》されていました。

「私《わたし》が長年研究《ながねんけんきゅう》した成果《せいか》を引《ひ》き継《つ》ぎ、触覚《しょっかく》に適《てき》した点字《てんじ》の体系《たいけい》を発明《はつめい》されたことを、私《わたし》は大変嬉《へんうれ》しく思《おも》っています」

誇《ほこ》り高《たか》いバルビエ大尉《たいい》がルイに送《おく》った精《せい》いっぱ

いの賛辞《さんじ》だったのでしょう。

バルビエ大尉《たいい》が亡《な》くなって二《に》か月後《げつご》、今度《こんど》はルイの二番目《にばんめ》の姉《あね》、セリーヌが二人《ふたり》の幼《おさな》い子《こ》どもを残《のこ》してこの世《よ》を去《さ》りました。

同《おな》じ年《とし》、ルイにデカポワンを書《か》く機械《きかい》の作成《さくせい》を頼《たの》まれていたフーコーが、ようやくある機械《きかい》を完《かん》成《せい》させます。それが「ラフィグラフ」と呼《よ》ばれる印字器《いんじき》です。何《なに》も苦労《くろう》しなくても、一《ひと》つの操作《そうさ》でいとも簡単《かんたん》に、しかも短時間《たんじかん》でデカポワンを紙《かみ》に打《う》ちつけることができました。

　このラフィグラフの完成《かんせい》で、目《め》の見《み》えない人《ひと》と見《み》える人《ひと》のどちらでも読《よ》み書《か》きができるデカポワンの実用性《じつようせい》が急激《きゅうげき》に高《たか》まったのは言《い》うまでもありません。ルイが開発《かいはつ》した六点点字《ろくてんてんじ》だけでなく、このデカポワンも視覚障害者《しかくしょうがいしゃ》に新《あたら》しい

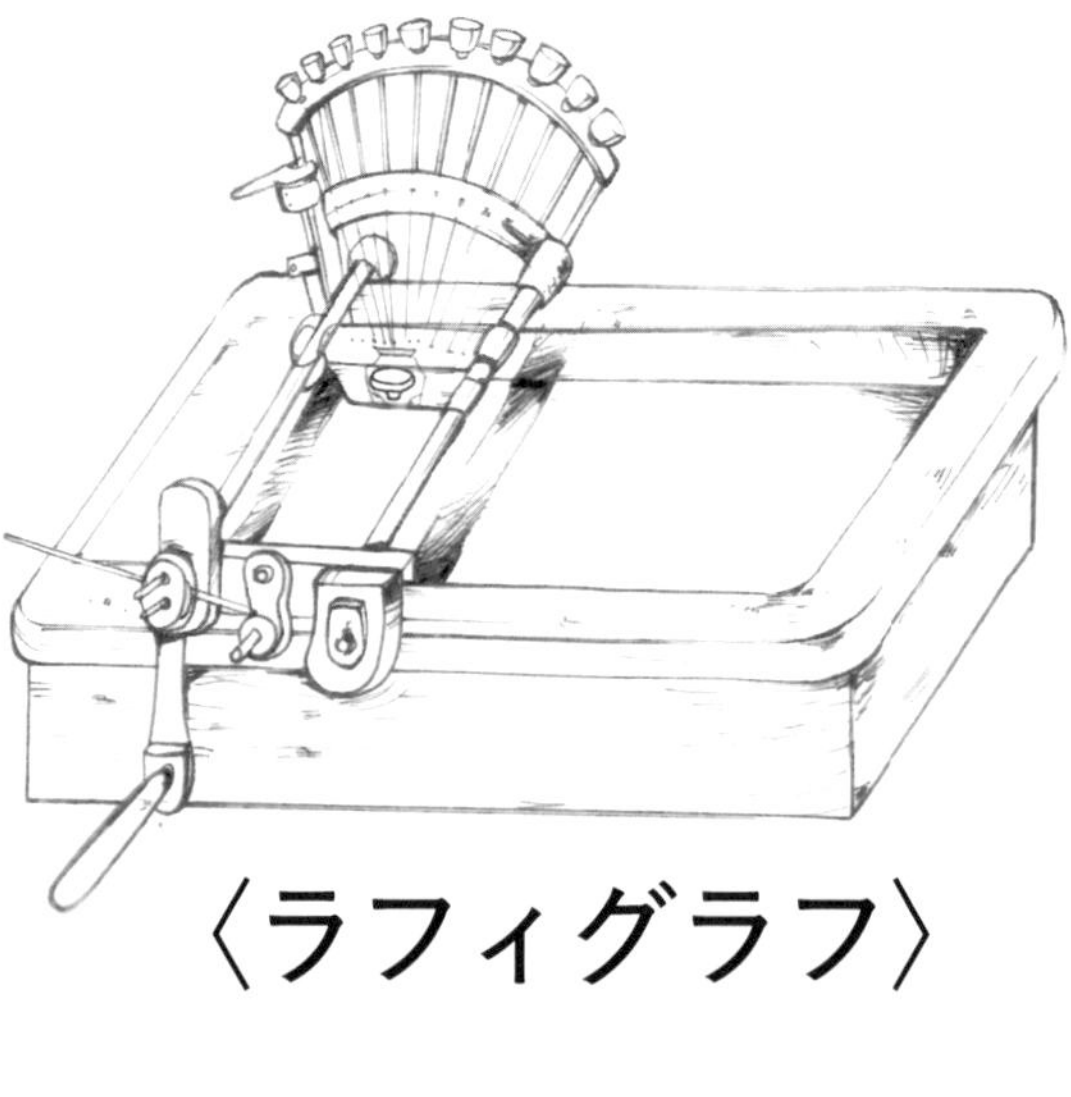

〈ラフィグラフ〉

光《ひかり》をもたらすことになりました。

その一方《いっぽう》で、ルイの健康状態《けんこうじょうたい》は日《ひ》に日《ひ》に悪化《あっか》していきました。

咳《せき》が絶《た》えることがなく、喀血《かっけつ》も珍《めずら》しくありません。1843年《ねん》の4月《がつ》からルイはクーヴレ村《むら》で約半年間《やくはんとしかん》の療養生活《りょうようせいかつ》に入《はい》りました。ルイ、三十《さんじゅう》四歳《よんさい》のときです。

同《おな》じころ、ルイが最初《さいしょ》に通《かよ》った学校《がっこう》の校長先《こうちょうせん》生《せい》、アントワーヌ・ベシュレが亡《な》くなったという知《し》らせが届《とど》きました。他《ほか》にもクーヴレ村《むら》で世話《せわ》になった二人《ふたり》の恩人《おんじん》、パリュイ神父《しんぷ》とドルヴィリエ侯爵《こうしゃく》も、すでに亡《な》くなっていました。

次々《つぎつぎ》と訪《おとず》れる悲《かな》しみを癒《い》やしてくれたのが、亡《な》くなったセリーヌの二人《ふたり》の子《こ》どもたちです。とくに八歳《はっさい》の次女《じじょ》とはすぐに仲良《なかよ》くなりました。二人《ふたり》で会話《かいわ》を楽《たの》しんでいると、ルイはクーヴレ村《むら》で送《おく》った少年時代《しょうねんじだい》を昨日《きのう》のように思《おも》い出《だ》したものです。

この年《とし》の10月《がつ》、ルイは約半年間《やくはんとしかん》の療養《りょうよう》を終《お》えて盲学校《もうがっこう》に戻《もど》りましたが、ルイが不在《ふざい》にしていた間《あいだ》、盲学校《もうがっこう》では驚《おど》ろくべきことが起《お》こっていたのです。

なんとデュフォー校長《こうちょう》がアユイの考案《こうあん》した浮《う》き出《だ》し文字《もじ》で印刷《いんさつ》した本《ほん》をすべて燃《も》やしてしまったのです。その数《かず》、七十三冊《ななじゅうさんさつ》。ピニエ前校長《ぜんこうちょう》がつくった四十七冊《よんじゅうななさつ》も含《ふく》まれていました。

なぜ、そのような暴挙《ぼうきょ》に至《いた》ったのでしょうか。

デュフォー校長《こうちょう》は、アメリカの盲人教育《もうじんきょういく》の影《えい》響《きょう》を受《う》け、別《べつ》のタイプの大《おお》きめの浮《う》き出《だ》し文字《もじ》を導入《どうにゅう》することを決《き》めていました。そのためにも、今《いま》までの浮《う》き出《だ》し文字《もじ》を生徒《せいと》たちに使《つか》わせたくなかったのです。また、同様《どうよう》にこれまで生徒《せいと》たちが使《つか》いつづけてきたルイの六点点字《ろくてんてんじ》も使用禁止《しようきんし》にしました。

（デュフォー校長《こうちょう》の今度《こんど》のやり方《かた》はおかしい）

ガデ副校長《ふくこうちょう》の良心《りょうしん》が、痛《いた》みに耐《た》えきれなくなっていきます。そこでガデ副校長《ふくこうちょう》は、思《おも》いきってあることを計画《けいかく》します。失敗《しっぱい》すれば、自身《じしん》が学校《がっこう》を去《さ》らなくてはならないほどの思《おも》いきった計画《けいかく》でした。

しかし翌月《よくげつ》、アンヴァリッド通《どお》りに新《あたら》しい校《こう》舎《しゃ》が完成《かんせい》し、引《ひ》っ越《こ》しが行《おこな》われたことで、ガデ副校長《ふくこうちょう》の計画《けいかく》はひとまず延期《えんき》されることになりました。

嬉《うれ》しいサプライズ

1844年《ねん》2月《がつ》22日《にち》、政府関係者《せいふかんけいしゃ》や大物政治家《おおものせいじか》などを招《まね》き、盲学校《もうがっこう》の新校舎《しんこうしゃ》の落成式典《らくせいしきてん》が盛大《せいだい》に行《おこな》われることになりました。合唱《がっしょう》や演奏会《えんそうかい》、そして来賓《らいひん》たちのスピーチの他《ほか》、盲人教育《もうじんきょういく》の成果《せいか》が出席者《しゅっせきしゃ》に発表《はっぴょう》されることになっていました。発表《はっぴょう》の時間《じかん》になるとガデ

副校長《ふくこうちょう》がすっくと立《た》ち上《あ》がり、

「えー、みなさん、ご静粛《せいしゅく》に」

と出席者《しゅっせきしゃ》に注目《ちゅうもく》を呼《よ》びかけました。会場内《かいじょうない》のざわめきがおさまったところで、ガデ副校長《ふくこうちょう》が言葉《ことば》をつづけます。

「これからみなさんに、点《てん》を使《つか》って文字《もじ》を読《よ》み、そして書《か》く方法《ほうほう》をお見《み》せします」

すると、一人《ひとり》の女子生徒《じょしせいと》が登場《とうじょう》しました。手《て》にはルイの六点点字《ろくてんてんじ》が打《う》たれた紙《かみ》をにぎりしめています。女子生徒《じょしせいと》は会場《かいじょう》にいる人《ひと》たちによく見《み》えるように、その紙《かみ》をかざしました。近《ちか》くにいる出席者《しゅっせきしゃ》は紙《かみ》に何《なに》やら複数《ふくすう》の点《てん》が打《う》たれていることに気《き》づいたことでしょう。

「では、その紙《かみ》に書《か》かれてある文章《ぶんしょう》を読《よ》み上《あ》げてください」

ガデ副校長《ふくこうちょう》が合図《あいず》した途端《とたん》、女子生徒《じょしせいと》がルイの六点字《ろくてんじ》が打《う》たれた紙《かみ》をなぞりながら、そこに書《か》かれている文章《ぶんしょう》を声《こえ》を出《だ》して読《よ》みはじめました。ほとんどよどみなく読《よ》み上《あ》げていきます。

「ほおー」

会場《かいじょう》のあちこちからどよめきが起《お》こりました。拍手《はくしゅ》も聞《き》こえてきます。ひそひそ話《ばなし》をする出《しゅっ》席者《せきしゃ》もいました。

「最初《さいしょ》から打《う》ち合《あ》わせをしていたのでは……」

「私《わたし》もそう思《おも》う」

「あの生徒《せいと》は前《まえ》もってセリフを暗記《あんき》していたにちがいない」

そんな声《こえ》が出《で》てくることも、ガデ副校長《ふくこうちょう》は前《まえ》もって予想《よそう》していたのでしょう、ひそひそ話《ばなし》をしていたグループの一人《ひとり》に声《こえ》をかけました。

「あの、そちらの人《ひと》。恐《おそ》れ入《い》りますが、あなたが文章《ぶんしょう》を提案《ていあん》してください」

ガデ副校長《ふくこうちょう》から指名《しめい》された出席者《しゅっせきしゃ》の男性《だんせい》は気《き》まずそうな表情《ひょうじょう》をしていましたが、ようやく立《た》ち上《あ》がりました。

「急《きゅう》に文章《ぶんしょう》をと言《い》われても困《こま》りますな。えー、では聖書《せいしょ》から選《えら》びましょうか。いや、やめておこう。聖書《せいしょ》だとみんなが知《し》っているから」

「短《みじか》い文章《ぶんしょう》でもいいですよ。そうだ、あなたの名前《なまえ》はどうですか」

「いいですね。では、私《わたし》の名前《なまえ》にしましょう」

男性《だんせい》は女子《じょし》生徒《せいと》に近寄《ちかよ》り、自分《じぶん》の名前《なまえ》を耳打《みみう》ちしました。女子《じょし》生徒《せいと》は、その名前《なまえ》を素早《すばや》く点字《てんじ》にします。なんと点字《てんじ》を打《う》つのに二十秒《にじゅうびょう》もかかりません。次《つぎ》にガデ副校長《ふくこうちょう》は点字《てんじ》が打《う》たれたばかりの紙《かみ》を女子生徒《じょしせいと》から取《と》り上《あ》げ、別室《べっしつ》で待《ま》っていた男子生徒《だんしせいと》を呼《よ》びました。

「この紙《かみ》には何《なに》が書《か》いてあるかね。大《おお》きな声《こえ》でみなさんに教《おし》えてあげなさい」

男子生徒《だんしせいと》は紙《かみ》に打《う》たれた点字《てんじ》を指《ゆび》でなぞりはじめました。そして、男性《だんせい》の名前《なまえ》を正確《せいかく》に読《よ》み上《あ》げたのです。

会場内《かいじょうない》から悲鳴《ひめい》に似《に》た歓声《かんせい》と大《おお》きな拍手《はくしゅ》が湧《わ》き起《お》こりました。

男子生徒《だんしせいと》は再《ふたた》び別室《べっしつ》に戻《もど》ります。次《つぎ》に別《べつ》の中《ちゅう》年女性《ねんじょせい》が自分《じぶん》の好《す》きな詩《し》の一節《いっせつ》を女子生徒《じょしせいと》の耳元《みみもと》で朗読《ろうどく》しました。女子生徒《じょしせいと》がこの詩《し》をすばやく点《てん》字《じ》にします。そして再《ふたた》び別室《べっしつ》から出《で》てきた男子《だんし》生徒《せいと》が、点字《てんじ》が打《う》たれた紙《かみ》を指《ゆび》でなぞり、読《よ》み上《あ》げました。なんと一字一句《いちじいっく》間《ま》ちがっていませんでした。

「まあ、驚《おどろ》いた。全部合《ぜんぶあ》っているわ。なんてことでしょう」

女性《じょせい》は目《め》をパチクリさせました。会場《かいじょう》は再《ふたた》び大騒《おおさわ》ぎになりました。まるで手品《てじな》か何《なに》かを見《み》せられたように驚《おどろ》きと興奮《こうふん》に包《つつ》まれています。騒《さわ》ぎが静《しず》まってから、ガデ副校長《ふくこうちょう》はなぜかデュフォー校長《こうちょう》を自分《じぶん》の横《よこ》に呼《よ》び寄《よ》せました。すると、デュフォー校長《こうちょう》がこう言《い》ったのです。

「みなさん、私《わたし》が校長《こうちょう》のデュフォーです。みなさんにこの素晴《すば》らしい点字《てんじ》を発明《はつめい》した人物《じんぶつ》を紹《しょう》介《かい》しましょう。私《わたし》のもっとも尊敬《そんけい》する友人《ゆうじん》で、偉大《いだい》なるオルガン奏者《そうしゃ》、そしてわが盲学校《もうがっこう》が全《ぜん》フランスに誇《ほこ》る教師《きょうし》のルイ・ブライユ君《くん》です。みなさん、盛大《せいだい》な拍手《はくしゅ》を！」

ルイが登場《とうじょう》すると、場内《じょうない》から割《わ》れんばかりの拍手《はくしゅ》が湧《わ》き起《お》こりました。

今《いま》までルイの点字《てんじ》を目《め》の敵《かたき》にしていたデュフォー校長《こうちょう》がルイを讃《たた》えるなんて！　なぜ、こんな想像《そうぞう》もできないシーンをガデ副校長《ふくこうちょう》が演出《えんしゅつ》できたのでしょうか。

話《はなし》は前日《ぜんじつ》にさかのぼります。

落成式前日《らくせいしきぜんじつ》、校長室《こうちょうしつ》で有力《ゆうりょく》な理事《りじ》がデュフォー校長《こうちょう》と面談《めんだん》していました。ガデ副校長《ふくこうちょう》もその場《ば》にいます。この理事《りじ》は資産家《しさんか》で知《し》られ、つい最近《さいきん》、理事《りじ》になったばかりでした。ガデ副校長《ふくこうちょう》とは昔《むかし》から親《した》しい人物《じんぶつ》です。

「デュフォー校長《こうちょう》、ガデ先生《せんせい》からは経済的《けいざいてき》に苦《くる》しいことも含《ふく》めてだいたいのことは聞《き》いている。だから、この盲学校《もうがっこう》に寄付《きふ》をしたい。それも多額《たがく》の寄付《きふ》ですぞ。しかし、それには一《ひと》つだけ条件《じょうけん》がある。ブライユ先生《せんせい》の点字《てんじ》を正式《せいしき》に採用《さいよう》してもらいたい。それだけだ。他《ほか》の理事《りじ》は私《わたし》が説得《せっとく》するから、安心《あんしん》したまえ。もちろん、キミの地位《ちい》も保証《ほしょう》する」

ガデ副校長《ふくこうちょう》と示《しめ》し合《あ》わせた理事《りじ》の提案《ていあん》を、デュフォー校長《こうちょう》はあっさりと受《う》け入《い》れました。

（仕方《しかた》がない。そろそろブライユを認《みと》めてやるか。学校《がっこう》には多額《たがく》の寄付《きふ》が集《あつ》まるし、ブライユが有名《ゆうめい》になれば、私《わたし》も功労者《こうろうしゃ》として名《な》が知《し》られること

になるだろう）

こうして翌日《よくじつ》の大芝居《おおしばい》となり、盲学校《もうがっこう》がルイの六点字《ろくてんじ》を正式《せいしき》に採用《さいよう》することになりました。ルイが六点字《ろくてんじ》を考案《こうあん》してから、じつに二十年《にじゅうねん》の歳月《さいげつ》が経《た》っていました。

ルイの旅立《たびだ》ち

盲学校《もうがっこう》が環境《かんきょう》の良《よ》くないサン・ヴィクトール

通《どお》りから、風通《かぜとお》しの良《よ》いアンヴァリッド通《どお》りに新《しん》校舎《こうしゃ》を移《うつ》してからも、ルイの体調《たいちょう》はすぐれませんでした。それどころか、ますます悪《わる》くなっていきます。

すでに1840年《ねん》からルイは個人教授《こじんきょうじゅ》以外《いがい》の授業《じゅぎょう》を免除《めんじょ》されていました。そして盲学校《もうがっこう》の移転《いてん》後《ご》、ルイの体調《たいちょう》を考《かんが》えたデュフォー校長《こうちょう》がルイをすべての授業《じゅぎょう》から外《はず》し、盲学校《もうがっこう》の中《なか》でゆっくりと結核《けっかく》の治療《ちりょう》に専念《せんねん》することをすすめました。

無理《むり》をしなくなったせいか、ルイの体調《たいちょう》も回復《かいふく》します。校医《こうい》のおすみつきももらい、1847年《ねん》には再《ふたた》び教壇《きょうだん》に立《た》つこともできました。しかし、それも長《なが》くはつづきません。1850年《ねん》、ルイは再《ふたた》び大量《たいりょう》に喀血《かっけつ》したのです。ルイはデュフォー校長《こうちょう》に申《もう》し出《で》ました。

「もうこれ以上《いじょう》は無理《むり》です。私《わたし》がいれば、盲学《もうがっ》校《こう》に迷惑《めいわく》をかけるだけでしょう。どうか大臣《だいじん》に早《そう》期退職《きたいしょく》の許可《きょか》をもらってください」

するとデュフォー校長《こうちょう》は、こう返《かえ》しました。

「何《なに》を言《い》うのかね、ブライユ君《くん》。キミはまだ四《よん》十一歳《じゅういっさい》ではないか。今《いま》、退職《たいしょく》したら、年金《ねんきん》が少《すこ》ししか出《で》ないよ。退職《たいしょく》するかしないかは私《わたし》にまかせなさい」

ルイにいじわるばかりしていたデュフォー校《こう》長《ちょう》でしたが、落成式《らくせいしき》での一件《いっけん》以来《いらい》すっかりルイの支持者《しじしゃ》になっていたのです。

1851年《ねん》12月《がつ》4日《よっか》の深夜《しんや》、ベッドの上《うえ》でルイが何度《なんど》も咳《せき》こみました。寒《さむ》い夜《よる》でしたが、シーツは汗《あせ》でびっしょりです。そして、朝方《あさがた》にかけて喀《かっ》血《けつ》をくり返《かえ》しました。

クリスマスを迎《むか》えた朝《あさ》、彼《かれ》は見舞《みま》いにきたイポリットに、友人《ゆうじん》たちへの「遺言《ゆいごん》」を口《くち》にしています。

1852年《ねん》1月《がつ》6日《むいか》、ルイは朝《あさ》から自分《じぶん》の最期《さいご》を悟《さと》っていました。

ガブリエルやイポリット、そしてクーヴレ村《むら》から兄《あに》のルイ＝シモンも駆《か》けつけ、ルイのベッドを取《と》りかこみました。夕方《ゆうがた》になると、ルイの意識《いしき》はもうろうとし、言葉《ことば》を交《か》わすこともできなくなります。

「ルイ、よく頑張《がんば》った」

「キミは偉大《いだい》なことを成《な》し遂《と》げたんだよ」

「ルイ・ブライユ、キミは最高《さいこう》の友人《ゆうじん》だった」

みんなが口々《くちぐち》にルイに別《わか》れの言葉《ことば》をかけました。

午後七時半《ごごしちじはん》、ルイ・ブライユは大好《だいす》きな人《ひと》たちに見守《みまも》られながら帰《かえ》らぬ人《ひと》となります。まだ四《よん》十三歳《じゅうさんさい》の若《わか》さでした。遺体《いたい》はクーヴレ村《むら》に運《はこ》ばれ、父親《ちちおや》のシモン＝ルネと姉《あね》のセリーヌの眠《ねむ》る墓《ぼ》地《ち》に埋葬《まいそう》されました。

フランス政府《せいふ》が「ブライユ点字《てんじ》」を視覚障害《しかくしょうがい》者《しゃ》の文字《もじ》として公式《こうしき》に認《みと》めたのは、ルイの死去《しきょ》から二年後《にねんご》のことでした。こうしてルイの六点点字《ろくてんてんじ》はフランス国内《こくない》の盲学校《もうがっこう》で使用《しよう》が認《みと》められ、やがて世界中《せかいじゅう》に広《ひろ》がっていくことになります。

エピローグ

一本《いっぽん》の珍《めずら》しい白黒《しろくろ》フィルムが残《のこ》されています。二分四十六秒《にふんよんじゅうろくびょう》という短《みじか》いアメリカのニュース・フィルムで、1952年《ねん》にフランスで撮影《さつえい》されたものです。

「ルイ・ブライユの葬儀《そうぎ》、ヘレン・ケラー」と題《だい》されたフィルムは、まずパリ近郊《きんこう》のクーヴレ村《むら》を映《うつ》し出《だ》しました。ナレーターが、1809年《ねん》にこの村《むら》でルイ・ブライユが生《う》まれたと早口《はやくち》の英語《えいご》で解説《かいせつ》し、映像《えいぞう》は村《むら》の小《ちい》さな墓地《ぼち》に移《うつ》ります。ナレーターはこうつづけました。

「ブライユの死後《しご》百年《ひゃくねん》、1952年《ねん》6月《がつ》にクーヴレの小《ちい》さな墓地《ぼち》からパリに移《うつ》されることになった」

村《むら》の墓地《ぼち》から大勢《おおぜい》の人々《ひとびと》が行進《こうしん》しています。次《つぎ》にフィルムに映《うつ》ったのは、あのヘレン・ケラーでした。知《し》っている人《ひと》もたくさんいるでしょう。目《め》が見《み》えない、そして耳《みみ》も聴《き》こえない女性《じょせい》ですが、家庭教師《かていきょうし》のサリヴァン女史《じょし》のおかげで大学教育《だいがくきょういく》を受《う》け、その後《ご》、障害者福祉《しょうがいしゃふくし》に一生《いっしょう》をささげた人物《じんぶつ》です。

奇跡《きせき》ともいえる彼女《かのじょ》の人生《じんせい》が演劇《えんげき》や映画《えいが》にもなったことで、ヘレン・ケラーの名前《なまえ》は世界中《せかいじゅう》に知《し》れ渡《わた》りました。日本《にっぽん》でも「奇跡《きせき》の人《ひと》」として知《し》られています。そんなヘレン・ケラーには、二人《ふたり》の恩人《おんじん》がいました。

一人《ひとり》は家庭教師《かていきょうし》のサリヴァン女史《じょし》です。そして、もう一人《ひとり》が、目《め》が見《み》えなくてもさまざまな書物《しょもつ》が読《よ》める点字《てんじ》を開発《かいはつ》した、ルイ・ブライユでした。点字《てんじ》のおかげで大学教育《だいがくきょういく》まで受《う》けることができたヘレンにとって、ルイは神様《かみさま》のような存在《そんざい》だったことでしょう。

彼女《かのじょ》のように、ルイの点字《てんじ》で人生《じんせい》がひらけた人《ひと》が数多《かずおお》くいました。だから、ルイの棺《ひつぎ》が生《う》まれ故郷《こきょう》のクーヴレ村《むら》の墓地《ぼち》からパリ五区《ごく》にあるパンテオンに移《うつ》されたことを、フランスだけでなく、世界中《せかいじゅう》のマスコミが報《ほう》じたのです。

18世紀後半《せいきこうはん》に建《た》てられたパンテオンは当初《とうしょ》、サン＝ジュヌヴィエーヴ教会《きょうかい》として使《つか》われていました。が、のちにフランスの偉人《いじん》たちを祀《まつ》る霊廟《れいびょう》となりました。このパンテオンに祀《まつ》られているのは、みな名《な》の知《し》れた人物《じんぶつ》ばかり。

たとえば、放射性元素《ほうしゃせいげんそ》のラジウムを発見《はっけん》したマリー・キュリー（「キュリー夫人《ふじん》」で知《し》られる）や世界的《せかいてき》に有名《ゆうめい》な小説《しょうせつ》『レ・ミゼラブル』を書《か》いた作家《さっか》のヴィクトル・ユーゴー、印象派画家《いんしょうはがか》のジャン・モネといったフランスを代表《だいひょう》する偉《い》人《じん》たちが名《な》をつらねています。

そんな誰《だれ》もが知《し》っている顔《かお》ぶれを見《み》ても、ルイ・ブライユの功績《こうせき》の大《おお》きさがわかるでしょう。だから、彼《かれ》の棺《ひつぎ》がパンテオンに移《うつ》されるとき、世界中《せかいじゅう》から数百名《すうひゃくめい》の視覚障害者《しかくしょうがいしゃ》がパリに駆《か》け付《つ》け、称《たた》えたのです。

ヘレン・ケラーもその一人《ひとり》でした。パリのソルボンヌで行《おこな》われたルイ・ブライユ没後百周年《ぼつごひゃくしゅうねん》記念式典《きねんしきてん》に招《まね》かれていたのです。彼女《かのじょ》はこの日《ひ》、フランス語《ご》でスピーチを行《おこな》いました。

「人類《じんるい》がグーテンベルクに恩恵《おんけい》を受《う》けているように、私《わたし》たち視覚障害者《しかくしょうがいしゃ》は、ルイ・ブライユに恩恵《おんけい》を受《う》けているのです」

スピーチ原稿《げんこう》は文法《ぶんぽう》も正《ただ》しい完璧《かんぺき》なフランス語《ご》でしたが、ヘレンが声《こえ》に出《だ》すと、やはりたどたどしい発音《はつおん》になってしまいます。しかし、それはとても感動的《かんどうてき》なスピーチでした。

　さて、フィルムに戻《もど》りましょう。

ルイの遺骨《いこつ》が納《おさ》められた棺《ひつぎ》が参加者《さんかしゃ》によって担《かつ》がれました。パンテオンまで運《はこ》ぶためです。何百人《なんびゃくにん》もの人々《ひとびと》が後《あと》につづき、目《め》の見《み》えない少年《しょうねん》少女《しょうじょ》たちも並《なら》んで一歩《いっぽ》一歩《いっぽ》進《すす》んでいます。視覚《しかく》障害者《しょうがいしゃ》たちの手《て》には白《しろ》い杖《つえ》が握《にぎ》られています。歩《ある》くたびにその杖《つえ》がパリの石畳《いしだたみ》を打《う》ったことでしょう。コツコツという音《おと》が映像《えいぞう》から聞《き》こえてきそうです。不思議《ふしぎ》で、しかもおごそかな行進《こうしん》でした。「ニューヨーク・タイムズ」が「英雄《えいゆう》たちの不思《ふし》議《ぎ》な行進《こうしん》」と報《ほう》じたほどです。

そして、フランス史《し》に多大《ただい》な貢献《こうけん》をした偉人《いじん》たちが祀《まつ》られているパンテオンに、ルイ・ブライユの遺骨《いこつ》が納《おさ》められた棺《ひつぎ》が到着《とうちゃく》しました。盛大《せいだい》に式典《しきてん》が行《おこな》われたところで、このフィルムは終《お》わっています。

ヘレン・ケラーはこの年《とし》、パリを訪《おとず》れる前《まえ》にエジプト、シリア、レバノン、ヨルダン、イスラエルを歴訪《れきほう》しました。エジプトでは目《め》の見《み》えない教育大臣《きょういくだいじん》ターハー・フセインがカイロで彼女《かのじょ》を出迎《でむか》えています。またカイロ入《い》りしたヘレンに敬《けい》意《い》を表《ひょう》するため、あるエジプトの目《め》の見《み》えない指導者《しどうしゃ》はこう言《い》いました。

「わが慈悲深《じひぶか》き神《かみ》は、一《ひと》つの目《め》の代《か》わりにルイ・ブライユを、そしてもう一《ひと》つの目《め》の代《か》わりにヘレン・ケラーを与《あた》えたもうた」

尊敬《そんけい》するルイ・ブライユと並《なら》び称《しょう》されたヘレン・ケラーは、さぞ嬉《うれ》しかったことでしょう。世《せ》界中《かいじゅう》の視覚障害者《しかくしょうがいしゃ》と聴覚障害者《ちょうかくしょうがいしゃ》を勇気《ゆうき》づけたヘレンですら、ルイ・ブライユと比較《ひかく》されることに戸惑《とまど》ったにちがいありません。

こうしてルイ・ブライユの遺骨《いこつ》はパンテオンに

移《うつ》されました。しかし、両手《りょうて》の骨《ほね》だけは生《う》まれ故郷《こきょう》の墓《はか》にあります。墓石《ぼせき》の上《うえ》に置《お》かれた骨壺《こつつぼ》に残《のこ》されている両手《りょうて》の指《ゆび》——。この指《ゆび》から生《う》まれた点字《てんじ》は、英語《えいご》、スペイン語《ご》、ドイツ語《ご》、日本《にほん》語《ご》など各国《かっこく》の言語《げんご》に合《あ》うように工夫《くふう》され、今《いま》も一四二《ひゃくよんじゅうに》か国《こく》にものぼる世界中《せかいじゅう》の視覚障害者《しかくしょうがいしゃ》に希望《きぼう》の光《ひかり》を与《あた》え続《つづ》けています。

〈おわり〉

参考資料《さんこうしりょう》 ルイ・ブライユ 年表《ねんぴょう》

ルイ・ブライユはどんな生涯《しょうがい》を送《おく》ったのか。このころの世界《せかい》や日本《にっぽん》のできごとも併《あわ》せて年表《ねんぴょう》で紹介《しょうかい》します。

1809年《ねん》 0歳《さい》 フランスのクーヴレ村《むら》で父《ちち》シモン＝ルネと母《はは》モニクの4番目《ばんめ》の子《こ》として誕生《たんじょう》。

1804年《ねん》 ナポレオン、皇帝《こうてい》に即位《そくい》する。

1812年《ねん》 3歳《さい》 父《ちち》の作業場《さぎょうば》で片方《かたほう》の目《め》を

負傷《ふしょう》し、失明《しつめい》。反対《はんたい》の目《め》も徐々《じょじょ》に視力《しりょく》が落《お》ちる。

1814年《ねん》 5歳《さい》 両方《りょうほう》の目《め》が完全《かんぜん》に見《み》えなくなり、全盲《ぜんもう》に。

1814年《ねん》 ナポレオン、エルバ島《とう》に追放《ついほう》される。第《だい》1次《じ》王政復古《おうせいふっこ》。

1815年《ねん》 6歳《さい》 教会《きょうかい》のジャック・パリュイ神父《しんぷ》から教育《きょういく》を受《う》ける。

1815年《ねん》 ワーテルローの戦《たたか》いで、ナポレオンがイギリス、プロイセンなどの連合軍《れんごうぐん》に敗北《はいぼく》。セントヘレナ島《とう》へ流《なが》される。

1816年《ねん》　7歳《さい》　クーヴレ村《むら》の学校《がっこう》に入《はい》り、
2年間《ねんかんまな》学ぶ。

1819年《ねん》　10歳《さい》　パリの王立盲学校《おうりつもうがっこう》に入学《にゅうがく》。

1821年《ねん》　12歳《さい》　シャルル・バルビエが提案《ていあん》し
た12点点字《てんてんじ》（ソノグラフィー）を実験的《じっけんてき》に使用《しよう》
する。その後《ご》、12点点字《てんてんじ》の改良《かいりょう》に着手《ちゃくしゅ》。

1821年《ねん》　ナポレオン、死去《しきょ》。

1824年《ねん》　15歳《さい》　6点点字《てんてんじ》の基礎《きそ》を思《おも》いつく。

1825年《ねん》　16歳《さい》　点字《てんじ》の基本形《きほんけい》をほぼ完成《かんせい》させる。

1825年《ねん》【日本《にっぽん》】江戸幕府《えどばくふ》、異国船打払令《いこくせんうちはらいれい》を出《だ》す。

1828年《ねん》　19歳《さい》　盲学校《もうがっこう》の復習教師《ふくしゅうきょうし》となる。

1829年《ねん》　20歳《さい》『点《てん》を使《つか》って、言葉《ことば》、楽譜《がくふ》、簡単《かんたん》な歌《うた》を書《か》く方法《ほうほう》—盲人《もうじん》のために作《つく》られた盲人《もうじん》が使《つか》う本《ほん》』を出版《しゅっぱん》。ブライユの点字《てんじ》が完成《かんせい》する。

1830年《ねん》　フランス7月革命《がつかくめい》が起《お》こる。

1831年《ねん》　22歳《さい》　父《ちち》シモン＝ルネが亡《な》くなる
（享年《きょうねん》65）。

1832年《ねん》　23歳《さい》　数字《すうじ》の点字《てんじ》を考案《こうあん》する。

1833年《ねん》　24歳《さい》　盲学校《もうがっこう》の正教師《せいきょうし》となる。

1833年《ねん》　【日本《にっぽん》】天保《てんぽう》の大飢饉《だいききん》が起《お》こる。

1834年《ねん》　25歳《さい》　聖《せい》ニコラ・デ・シャン教会《きょうかい》
のオルガン奏者《そうしゃ》となる。
パリの産業製品博覧会《さんぎょうせいひんはくらんかい》で自分《じぶん》の点字《てんじ》の実演《じつえん》

を行《おこな》う。このころには、点字楽譜《てんじがくふ》の基礎《きそ》となる
音楽記号《おんがくきごう》を完成《かんせい》させる。

1835年《ねん》 26歳《さい》 肺結核《はいけっかく》と診断《しんだん》される。

1836年《ねん》 27歳《さい》 フランス語《ご》にはないW《ダブリュー》を
点字《てんじ》に加《くわ》える。

1836年《ねん》 パリの凱旋門《がいせんもん》が完成《かんせい》する。

1837年《ねん》 28歳《さい》 ブライユの点字《てんじ》を使《つか》った
『フランス史概説《しがいせつ》』（全《ぜん》3巻《かん》）を盲学校《もうがっこう》が発行《はっこう》
する。

1837年《ねん》
【日本《にっぽん》】大塩平八郎《おおしおへいはちろう》の乱《らん》が起《お》こる。
イギリスのビクトリア女王《じょおう》が即位《そくい》する。
1839年《ねん》
30歳《さい》 目《め》の見《み》える人《ひと》と見《み》えない人《ひと》が伝《つた》えあえる点線文字《てんせんもじ》「デカポワン」を開発《かいはつ》。
『文字《もじ》の形《かたち》そのまま、地図《ちず》、幾何図《きかず》、音楽記号《おんがくきごう》などを点《てん》で描《えが》くための盲人用新方法《もうじんようしんほうほう》』を発行《はっこう》する。
1840年《ねん》
31歳《さい》 新校長《しんこうちょう》デュフォーが楽譜《がくふ》以外《がい》の点字《てんじ》の使用《しよう》を禁《きん》じる。
1840年《ねん》 アヘン戦争《せんそう》がはじまる。

1841年《ねん》　32歳《さい》　「デカポワン」を書《か》く機械《きかい》「ラフィグラフ」を友人《ゆうじん》フーコーとともに開発《かいはつ》する。

1841年《ねん》【日本《にっぽん》】天保《てんぽう》の改革《かいかく》はじまる。

1843年《ねん》　34歳《さい》　4月《がつ》、健康状態《けんこうじょうたい》が悪《わる》くなり、10月《がつ》まで故郷《こきょう》クーヴレ村《むら》で静養《せいよう》する。

『盲人《もうじん》に一般文字《いっぱんもじ》を書《か》かせるための番号表《ばんごうひょう》』を発行《はっこう》する。

1844年《ねん》　35歳《さい》　盲学校《もうがっこう》の新校舎《しんこうしゃ》の落成式《らくせいしき》が行《おこな》われる。ここでブライユ点字《てんじ》の実演《じつえん》が行われ、その正確《せいかく》さが認《みと》められる。

1848年《ねん》　フランス2月革命《がつかくめい》（第《だい》2次《じ》共和制《きょうわせい》）。

1850年《ねん》　41歳《さい》　肺結核《はいけっかく》が悪化《あっか》し、音楽《おんがく》の授《じゅ》業《ぎょう》しか行《おこな》えなくなる。

1852年《ねん》　43歳《さい》　1月6日《がつむいか》、盲学校《もうがっこう》の保健室《ほけんしつ》で亡《な》くなる。クーヴレ村《むら》の墓地《ぼち》に埋葬《まいそう》される。

1852年《ねん》　ナポレオン3世《せい》即位《そくい》（第《だい》2次帝政《じていせい》）。

1854年《ねん》　没後《ぼつご》2年《ねん》　フランス政府《せいふ》がブライユの点字《てんじ》を、目《め》の見《み》えない人《ひと》の読《よ》み書《か》きの方法《ほうほう》として公式《こうしき》に認《みと》める。

1901年《ねん》【日本《にっぽん》】石川倉次《いしかわくらじ》による日本点字《にっぽんてんじ》が正式採用《せいしきさいよう》される。

1952年《ねん》没後《ぼつご》100年《ねん》遺骨《いこつ》がクーヴレ村《むら》から、フランスの国民的英雄《こくみんてきえいゆう》が祀《まつ》られるパリのパンテオンに移《うつ》される。

1953年《ねん》【日本《にっぽん》】NHK《エヌエイチケー》がテレビ本放送《ほんほうそう》を開始《かいし》。

松浦《まつうら》麻衣《まい》

●職業《しょくぎょう》アニメーター。

●代表作《だいひょうさく》はアニメ『プリティーリズム・レインポーライブ』キャラクターデザイン、映画《えいが》『KING OF PRISM《キングオブプリズム》 by PrettyRhythm《バイプリティリズム》』キャラクター原案《げんあん》、作画監督等《さくがかんとくとう》。

●私自身《わたしじしん》、お話《はなし》を頂《いただ》くまで存《ぞん》じ上《あ》げなかったのですが、点字《てんじ》を開発《かいはつ》した方《かた》の生《お》い立《た》ちや点字《てんじ》の成《な》り立《た》ちを知《し》ることができて良《よ》い経験《けいけん》になりました。多《おお》くの方《かた》にこのルイ・ブライユの本《ほん》を読《よ》んで頂《いただ》けたら幸《さいわ》いです…！

著者紹介《ちょしゃしょうかい》

山本徳造《やまもととくぞう》

●大阪府《おおさかふ》生《う》まれ。雑誌《ざっし》編集者《へんしゅうしゃ》を経《へ》てフリーライターに。料理《りょうり》から医学《いがく》、軍事《ぐんじ》、外交《がいこう》まで幅広《はばひろ》いテーマをこなす。著書《ちょしょ》に『陽《ひ》はアジアに昇《のぼ》る』（講談社《こうだんしゃ》）、『そこが知《し》りたい米大学《べいだいがく》日本校《にほんこう》』（びいぷる社《しゃ》）、共著《きょうちょ》に『現代戦争《だいせんそう》—悪《あく》の黙示録《もくしろく》』（廣済堂《こうさいどう》）、『ガイジンの逆襲《ぎゃくしゅう》』（講談社《こうだんしゃ》）などがある。

広瀬浩二郎《ひろせこうじろう》

●1967年《ねん》、東京都《とうきょうと》生《う》まれ。13歳《さい》の時《とき》に失明《しつめい》。点字受験《てんじじゅけん》で京都大学《きょうとだいがく》に進学《しんがく》。同大学院《どうだいがくいん》にて文学博士号取《ぶんがくはくしごうしゅ》得《とく》。専門《せんもん》は日本宗教史《にほんしゅうきょうし》、触文化《しょくぶんか》論《ろん》。2001年《ねん》より国立民族学博物館《こくりつみんぞくがくはくぶつかん》に勤務《きんむ》。現在《げんざい》は同館教授《どうかんきょうじゅ》。“点字《てんじ》力《りょく》”をテーマとする各種《かくしゅ》イベントを全国《ぜんこく》で企画《きかく》・実施《じっし》している。主《おも》な著書《ちょしょ》に『さわる文化《ぶんか》への招待《しょうたい》』『身《しん》体《たい》でみる異文化《いぶんか》』などがある。

読書工房めじろーブックス

大きな文字の小学館ジュニア文庫

ルイ・ブライユ ㊦

暗闇《くらやみ》に光《ひかり》を灯《とも》した十五歳《じゅうごさい》の点字《てんじ》発明者《はつめいしゃ》

山本徳造《やまもととくぞう》／著
松浦麻衣《まつうらまい》／イラスト
広瀬浩二郎《ひろせこうじろう》／監修

2024年4月23日初版発行

［発行所］
有限会社 読書工房
〒171-0031
東京都豊島区目白2-18-15
目白コンコルド115
電話：03-6914-0960
ファックス：03-6914-0961
Eメール：info@d-kobo.jp
https://www.d-kobo.jp/

［印刷・製本］
セルン株式会社

ISBN978-4-902666-75-5　N.D.C. 913　210p　21cm

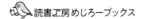